主编 周武 陈江

康乐人生
图说古代养生文化

唐克军 著

广陵书社

图书在版编目(CIP)数据

康乐人生:中国古代养生文化/唐克军著.—扬州:广陵书社,2004.10

(图说古代社会生活丛书/周武,陈江主编)

ISBN 7 - 80694 - 034 - 0

Ⅰ.康… Ⅱ.唐… Ⅲ.养生(中医)—文化—中国—古代—图解 Ⅳ.R212 - 64

中国版本图书馆 CIP 数据核字(2004)第 109493 号

书　　名　康乐人生:中国古代养生文化
著　　者　唐克军
责任编辑　王志娟
出版发行　广陵书社
　　　　　扬州市凤凰桥街 24 - 6 号　邮编　225002
　　　　　发行部电话　(0514)7343427
　　　　　网　　址　www.yzglpub.com
　　　　　E - mail:glss@yztoday.com
印　　刷　扬州鑫华印刷有限公司
　　　　　扬州市运河西路 215 号　邮编　225003
开　　本　880×1230 毫米　1/32
印　　张　9.75
字　　数　162 千字　图 198 幅
版　　次　2004 年 10 月第 1 版第 1 次印刷
标准书号　ISBN 7 - 80694 - 034 - 0/K·18
定　　价　25.00 元

广陵书社版图书凡印装错误均可与出版社联系调换

总 序

　　近年来,古代社会生活和民俗文化的研究,已越来越引起人们的关注。这不仅因为,当人们回溯并纵览漫漫的历史画卷时,诸如衣食住行、婚丧嫁娶、岁时节庆、养生娱乐之类的日常生活事象,往往以其生动活泼、丰富多彩而成为最引人入胜的部分,还因为历史与现实之间并无不可逾越的鸿沟。由于历史的延续性和文化的传承性,古代社会生活和民俗文化的不少母题和因子仍遗存于现代社会之中,或隐或显地对现代人的生活起着不同程度的规范、制约作用。其结果是,我们越追求生活的时尚性和现代性,就越会感受到历史积淀的重负。于是,踟蹰于传统与现实之间的人们不免会生出诸多迷惑,引发探索的好奇:我们的先人究竟是如何生活的,传统生活事象的原生状态和初始阶段究竟是怎样的,我们应该如何对待先人的历史遗产。

从学术层面看，饶有兴味的生活文化事象还具有极高的研究价值。法国"年鉴学派"提出"长时段"的史学理论，认为考察生态环境、社会生活等对历史起长期作用的现象，能更为清晰地揭示人类社会的演进轨迹。美国"新社会史学派"也提倡微观地描述"自下向上看的历史"，或"底层的历史"，认为普通民众的日常生活与观念，往往是影响历史的主要因素，因而是更有意义的研究对象。此类现代学术理论，运用于中国古代史的研究领域，也不失其有效性。中国古代是个"礼治"的社会，历朝法典其实就是"礼仪"的制度化和法律化，而"礼仪"，究其根本，则源于民间日常生活之"习俗"。作为社会基本文化现象之一的民俗，是人类在长期的社会生活中创造的，同时又对人类本身起着重要的制约作用。现代人文社会科学的研究成果证明，民俗是一种社会日常生活的常规化行动，它包含着许多传统和公认的规则，当这些规则具体化、规范化后便成为"礼仪"，大多数的社会制度正是由民俗和礼仪发展而来的。所以说，一种制度，实际上就是一种比较永久的，合理化和自觉化的"超级民俗"。与变动较为迅速、频繁的精英文化相比，社会生活和民俗文化的演变更为缓慢而深刻。唯因如此，文化深层的价值观念、社会心理、审美意识、宗教信仰等,可从中更直接、更明显地反映出来,从而构成中国文化不同于其他异质文化的标志性特征,而了解与认识中国社会的发展线索,也可从生活样式与社会观念的缘起、传承、演进和变异中,寻得一个深入的观察点。

这套丛书对中国古代社会生活和民俗文化的各个方面,作了分门别类的介绍和论述,书中精选了大量的古代文物和历史图像,意在通过直观形象、图文并茂的形式,使广大读者对繁复的古代生活事象有一个基本的认识。自第一辑出版衣、食、住、行、游艺五种后,现在又推出第二辑的四种,内容分别涉及婚姻、丧葬、节俗和养生。各书的撰作,除坚持生动有趣、简洁流畅的文字表述外,还本着严谨的学术态度,对最为重要而典型的生活事象,作了准确的史实叙述和适当的理论分析。因此,有志于探索中国古代社会生活史的读者,也可藉此作为研究的入门。

无庸讳言,以今天的眼光看,中国古代的社会生活中,既包含健康淳朴、美好善良的世情民风,也不乏荒诞愚昧、有悖情理的陈规陋俗,良莠并存本是见于世界各民族传统文化的普遍现象。显然,要完整而准确地认识中国古代的社会生活,不可能也不必要回避这些落后的东西。但愿广大的读者朋友藉这套丛书,不仅能大致了解中国古代的生活状况,而且能理性地看待先人的文化遗产,并通过一番扬弃,开拓出更为美好的未来,这既是我们的宗旨,也是我们的奢望。

编 者

2004 年 8 月 11 日

目 录

虚　治梦中泄精仰
静　卧右手枕头左
天　手捏固阴处行
师　功左腿直舒右
睡　眠拳曲存想运
功　气二十四口

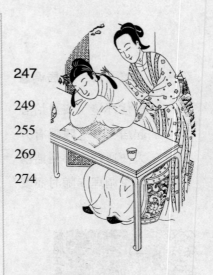

第一章　养生源流

　　健康长寿、和乐如仙是人生之所求。养生就是追求健康快乐的人生。所谓养生，就是摄养身心，延年益寿，减少疾病；所谓生就是生命、生存、生长；所谓养就是保养、调养、护养、补养。具体说就是以修养精神，调养血气，锻炼身体，调和饮食，注意房事，适应温暖等方面的方法保持身心健康。几千年的养生实践，我国古人创造了灿烂辉煌的养生文化，总结出了颐养心神，存养元气，保养身体，促进健康长寿的养生理论与方法，包括安心之道、畅气之方、养形之法、用药之道、起居之规、饮食之理、房中之术、清赏之要等。今天我们可以这些养生文化中汲取营养，提高我们的生活质量。今天的社会，生活节奏加快，生活的规律性常受破坏，生活矛盾增多，人的心理和身体负荷加重，更需要人们加强身心修养，保持健康的身体和平和的心理面对变化的世界，享受生活的丰富多彩。我国古代的养生文化是今人养生取之不尽的宝藏。

百鹿图

百老图

一、代代推进　灿烂辉煌

中国养生文化源远流长，而且随着时代的进步，不断被重视，不断被推广。上古时代，为了生存，为了适应自然，先民已积累了一些养生经验，从穴居到巢居，再到构筑房屋，吃熟食，注意个人卫生和环境卫生，已开始洗澡、洗脸、扫除，并以舞蹈和柔形体，节制筋骨。殷商、西周时期，我们的祖先就有了贵生长寿观念，把"寿"、"康宁"、"考终命"看作是人生最大的幸福。《尚书·洪范》就把寿作为五福之一，《诗经》就以"万寿无疆"来表达对长寿的渴望。

春秋战国时期是我国养生文化的奠基时期。这时期，各家都提出了自己的养生主张。儒家讲究进德修业、注意通过各方面的生活来养生；墨家要求节欲养生；道家主张清静无为，返朴归真；法家主张以动养形，《吕氏春秋》就说流水不腐；医家主张调和阴阳，顺应四时。虽然各派主张不同，但都认为天人合一，养生就要顺生，顺应自然，与天相通，并且否定了寿命天定的观念。荀子说只有注意保养、运动，就是天也不能让人病，如果忽视保养，运动少，就是天也不能保全生命。只有注意养生才能强健自己的生命，成了我国养生文化的基本思路。在主张运动养生的思想促进下，古老的导引、按摩也得到迅速发展，《庄子·刻意》有"吹呴呼吸，吐故纳新，熊经鸟申"的导引术。长沙马王堆三号墓出土的"导引图"就是先秦导引发展的例证。不仅有导引术，《黄帝内经》还提出"提挈天地，把握阴阳，呼吸精气，独立守神，肌肉若一，故能寿敝天地"的导引理论。除了导引术，行气也得到重视。

"行气"一词始见于《左传·昭公九年》:"味以行气,气以实志。"这时期,养生专著较少,大都散见于各家著作中,如《老子》、《庄子》、《吕氏春秋》和《黄帝内经》。专著有《重道延命方》,可惜已佚。

秦汉三国时期是我国养生文化的勃兴时期。此时无论是养生理论还是养生方法都趋于系统化。在养生思想方面,刘安承接道家守静传统,倡导抱虚守静的养生学说,认为"宁身体,安精神"。董仲舒承接儒家传统,提出了"天人感应"的观点,并将人与天数想比,认为人有小骨366块,与一年的天数相同,大骨12块,与月数相符,五脏与五行对应,四肢与四时相应,眼之开闭如同昼夜。他主张要循天之道以养其身,得天之泰以养其寿。在守静的思想影响下,成就了存思气功,在循天道养生的理论指导下发展出了炼气气功。前者为"抱神守一"行气术,强调以守一修性,后者即所谓"周天行气法",注重循经络行气,在一呼一吸之中循环。这两个派别奠定了后世行气术的理论基础。这时期,神医华佗根据动物活动的特点,创编了成套式式"五禽戏":"吾有一术,名曰五禽之戏:一曰虎,二曰鹿,三曰熊,四曰猿,五曰鸟。亦以除疾,兼利蹄足,以当导引,体有不快,起作一禽之戏,怡而汗出,因以著粉,身体轻便而欲食。"五禽戏与先秦不同,它已成套路。服食术、辟谷术也在"天人合一"的思想启发下发展起来,服食术即是服金银等坚固之物,以达到坚固身体而长寿的目的。辟谷术是通过吸食天地之元气,以达到轻身长寿的目的。

这时期,房中术极为盛行,东汉的张道陵是道教房中术的"开山祖师",与儿子张衡、孙子张鲁,并称"三张"。除了"三张",还有冷寿光、甘始、东郭延年、左慈等房中术家。在这些术师的影响下,帝王们便热衷于此。王莽选进淑女120人,研习房中术。曹操也十分信奉房中术，向二百多名方士请教房中之法，并同许多宫女做实验。上施下效，当时许多贵族、官僚纷纷效仿。此时也指出了房中术的宗旨，如班固说："房中者，情性之极，至道之际，是以圣王制外乐以禁内情，而为之节文。传曰：'先王之乐，所以节百事也。'乐而有节，则和平寿考；及迷者弗顾，以生疾而殒性命。"即有节制的性快乐才是长寿之道。

这时期养生著述颇多。据《汉书·艺文志》记载，房中著作共8家186卷：《容成阴道》26卷、《务成子阴道》36卷、《尧舜阴道》23卷、《汤盘庚阴道》20卷、《天老杂子阴道》25卷、《天一阴道》24卷、《黄帝三王养阳方》20卷、《三家内房有子方》17卷。"阴道"即是男女交合之道。神仙著作10家205卷；医学著作18家490卷。东汉时期，有总结炼丹术的《周易参同契》、研究行气的《太平经》和《老子想尔注》等。

魏晋南北朝时期，时局动荡，养生文化更显独特风貌，嵇康和葛洪是这一时期的代表。嵇康认为一个人的寿命不是命中注定的，而是由本人如何立身处世所决定的，取决于个人的主观努力，善于养生者，其则可延长寿命。他提出了形神共养的养生思想，养形即是"绝谷茹芝"，养神就要是"去欲"，以此达到安心、保神、全身的目的。嵇康还提出了"性动"与"智用"两个不同的概念来区别人的生理与心理需求，性动即为生理需要，"不虑而欲"；"智用"即因认识的作用而影响情绪，"识而后感"。人的祸患的根源是"智用"而不是"性动"。因此要节制因认识而引起的情绪变化，而不是"不虑而欲"的生理需要。这就跟禁欲主义划清了界限。葛洪批评养生家偏执一术，主张合众术而养生，即是合用炼丹术、行气术、导引术、房中术、服药、辟谷等术，达到延年益寿的目的。这种兼收并用的传统为后人所继承。南朝陶弘景的《养性延命录》就汇集了各种养生术。

魏晋南北朝时期养生著作颇丰,有嵇康的《养生论》、葛洪的《抱朴子》、陶弘景的《养性延命录》,还有不少房中术的著作,据《隋书·经籍志》载,有《序房中秘术》1卷、《玉房秘诀》8卷、《房内秘要》1卷、《素女秘道经》1卷、《新撰玉房秘诀》9卷、《素女方》1卷、《彭祖养性》1卷等。

隋唐五代时期养生文化更为隆盛。外丹术尤其鼎盛。秦汉以来,人们认为服丹药可以坚固其身,长生不死。在唐代,服用丹药不仅盛于皇室,而且流行士大夫和民间。唐代皇帝大都耽迷服食丹药,太宗、高宗、穆宗、武宗、宣宗等皆因食丹而暴死。韩愈、杜牧、崔玄亮等人亦是乐于服丹,号称"诗仙"的李白也曾迷于炼丹。

这一时期,养生著作有张湛的《养生要集》、翟平的《养生术》、《延年秘录》、《摄生真录》等。医家和佛门对养生文化贡献颇大。隋代巢元方的《诸病源候论》总结了前代的气功疗法,提出了"补养宣导法"。孙思邈则在《千金要方》、《千金翼方》、《保生铭》等著述中,对导引、行气、按摩等都作了全面的整理研究,特别是对老年保健与疾病预防更有较为深入的探究。他继承了顺应自然的养生思想,指出养生贵在动,不可久坐久卧,还创编了"老子按摩法"、"天竺按摩法"等老年保健操。这为程式化导引术段锦、太极拳的出现开辟了道路。

宋元明清则是我国养生文化的收获时期。这一时期,养生术广泛流传,深入民间。养生理论被大量整理,出现了大批的养生家和相关著作。宋元时期有欧阳修的《删正黄庭经序》、苏轼和沈括的《苏沈良方》、蒲处贯的《保生要录》、赵自化的《四时领养录》、马永卿的《嫩真子》、陈直的《养老奉亲书》、张君房的

《云笈七签》、王珪的《泰定养生主论》、李鹏飞的《三元延寿参赞书》、丘处机的《摄生消息论》、忽思慧的《饮膳正要》等；明清时期的有张鉴的《赏心乐事》、龚廷贤的《寿世保元》、周履靖的《赤凤髓》、王文禄的《医先》、高濂的《遵生八笺》、沈仕的《摄生要录》、冷谦的《修龄要旨》、胡文焕的《寿养丛书》、万后贤的《贮香小品》、袁黄的《摄生三要》和《静坐要诀》、吴正伦的《养生类要》、柳华阳的《金仙证论》、曹庭栋《老老恒言》、尤乘的《寿世青编》、汪启护的《性命要旨》、颜伟的《方仙延年法》、潘霨的《内功图说》等众多的医家养生著作。

　　这些著作从各方面探讨了养生之道，如陈直的《养老奉亲书》详细讨论了老人的食治之方、医药之法，摄养之道，提出老人要培养各种爱好，如书、画、琴、棋、花、鸟等，消除劳倦和孤独。王珪的《泰定养生主论》阐述了从人婚育、婴幼时期、到壮年、老年的生理摄养方法，认为不流于物，即是"摄"，安其分，就是"养"。忽思慧的《饮膳正要》是一部内容丰富的营养学专著，书中记载了常用食物203种，介绍了各种汤、羹、浆、膏、煎、油、茶，以及馒头、烧饼、粥、面等的制作方法，还指出了各方面的养生禁忌。龚廷贤的《寿世保元》总结了许多摄养方法，归纳出了延年要求。如摄养方法有薄滋味、省思虑、节嗜欲、戒喜怒，惜元气、简言语、轻得失、破忧沮、除妄想、远好恶、收视听。延年要求有：四时顺摄，晨昏护持；勿为无益，当慎有损；坐卧顺时，勿令身怠；行住量力，勿为形劳；悲哀喜乐，勿令过情；寒暖适体，勿侈华艳；动止有常，言谈有节；呼吸清和，安神闺房；诗书悦心，山林逸兴；心身安逸，四大闲散；救苦度厄，济困扶危。曹庭栋《老老恒言》是一部很有影响的老年养生专著，总结了生活起居、衣食住行等方面的养生方法。

　　也正是因为养生资料的整理,养生术得到了进一步的改造和创新,并广为流传。宋代出现了"八段锦"、"十段锦"、"十二段锦"、小劳术、太极拳等,还有陈抟的"十二月坐功"。不仅出现了各种功法,而且各节连贯成套,对后世影响很大。小劳术是宋人蒲处贯根据前人导引术改编的一种健身法,要求运动至小劳,"养生者形要小劳,无至大疲。故水流则清,滞则污。养生之人,欲血脉常行,如水之流。坐不欲至倦,行不欲至劳,频行不已,然亦稍缓,即是小劳术也。"八段锦最早出现在南宋,是由宋代坐功发展起来的八节连贯的健身操,多以肢体活动为主,辅以呼吸和咽泽。太极拳完全采用站式,强调肢体运动,以柔克刚,刚柔相济。

黄帝

像子莊

历史上的养生家

历史上的养生家

二、养生流派　各有特色

养生文化即是卫生文化，与医学紧密相联，医家养生在我国几千年的历史中一直被奉为"养生之正宗"。儒、释、道三家提出的主张，在我国文化发展的历史长河中具有举足轻重的地位，对养生有巨大的影响。所以中国传统养生流派可分为：医家养生派、儒家养生派、释家养生派、道家养生派。

医家养生思想形成于春秋、战国到秦汉时期。《黄帝内经》是先秦养生学的总结，提出了阴阳调和、天人相和、形神气兼修的养生思想，初步确立了养生的原则与方法。医家养生文化的特色在于天人合一、形神一体、阴阳平衡、动静结合的养生观，认为养生重于防病、治病和固本复元三个方面，强调因人、因地、因时的辩

>> 　图说古代社会生活

证养生。在方法上侧重于精神的调摄、日常生活的调理、方药的调摄功用以及导引按摩等等。

　　儒家养生派把养生作为政治与改造社会的工具。他们主张大养生观，进德修身，强调心的包容性和行为锻炼，讲究日常生活的合理调摄，心理与精神上的协调等等。在养生方法上，强调诚心正意、中和有节、慎思笃行等。孔子就提出通过道德、音乐、饮食、读书、体育等方面的生活达到养生目的。如在饮食卫生、生活起居、情爱等方面以礼节之，以礼、乐、射、御、书、数"六艺"调养人的性情。唐宋以后，许多文人进行实地研究并总结自己的养生经验，撰写、编辑了大量养生类书籍，丰富了儒家养生文化，白居易、苏轼、陆游、宋濂、曹庭栋等当时的著名人物，都提出了自己的养生理论。

历史上的养生家

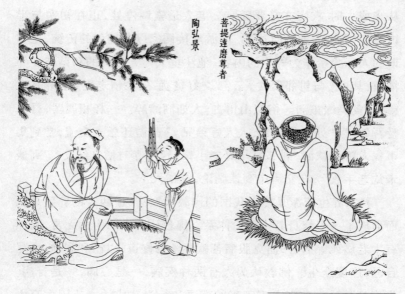

陶弘景

菩提达磨尊者

历史上的养生家

南宋诗人陆游是一个寿星,70岁"老躯健似中年日",80岁"齿牢尚可嚼干肉"。他在82岁那年总结自己身体健康的原因时写道:"吾身本无患,卫养在得宜。一毫不加谨,百疾所由兹。"陆游"得宜"之道即是参加力所能及的劳动,保持童心和清静无为的心境心态,乐善好施,开朗豁达,并注意饮食、起居等的养生。其诗云:"据鞍千里何曾病?闭户安眠百病生。"又说:"老翁垂七十,其实似童儿。山果啼呼觅,乡傩喜相随。群嬉累瓦塔,独立照盆池。更挟残书读,浑如上学时。"陆游退居山阴,常投身田间劳动,扶犁把锄,样样都干。当年事已高后,便种菜、种药材、带孩子,并如孩童一样游戏,"无营无念饱即嬉,老翁真个似童儿","花前自笑童心在,更伴群儿竹马嬉"。他对喝酒也是十分节制,"饮酒可不病,自酌随浅深",还注意吃饭定时,吃不过饱,"食饮从来戒失时,衣裘亦复要随宜。老人最索调停处,正在初寒与半饥。""半饥半饱随时过"。陆游承接儒家以友辅仁的传统,把和谐的人际关系作为养生的内容。他注重人与人之间的和谐与乡邻情谊,其诗《与村邻聚饮》云:"交好贫犹笃,乡情老更亲。鲊香红糁熟,炙美绿椒新。俗似山川古,人如酒醴醇。一杯相属罢,吾亦爱吾邻。""处处佳风月,人人好弟兄。"陆游还乐于交流,常到集市找人聊天饮酒,到邻村与野老小聚,到山寺与僧人结交,"高谈未觉老年衰",在交流中高谈阔论,纵横天下。

释家养生流派是传入我国的佛教吸取儒、道两家的养生理论而形成了一套修身养生理论体系。佛教认为人的生命无常,自然有生老病死等痛苦,而克服痛苦就要学佛修道,以己利利他,舍尽自己,广度众生。佛教认为人有两种疾病,一是心病,一是身病。疾病都是过去和现在不正当的言语和行为造成的,或因大喜大悲、忧愁等情绪引起生理紊乱,导致形体损害;或因贪淫、瞋恚、愚痴等烦恼引起不良行为习惯,如饮食不节、荒淫无度、酗酒等;或因过去和现在的杀生、奸淫、欺诈等恶业而召至疾病;或因风寒、湿热而四大不调所致疾病。所以养生首重净心,达到"常、乐、我、静"的虚空境地。在修炼方法上以"戒(除七情六欲)、定(坐禅修炼)、慧(顿悟和彻悟)"达到人生的解脱。坐禅则要呼吸自然,"不声、不结、不粗,出入绵绵,若存若已",坐姿安泰,神色安详,心无杂念。

在佛教看来,不正确的行为会导致身心疾病,所以要用正确的行为规范约束人。佛教的戒律涉及人的衣食住行,基本的规范即是所谓"五戒"、"十善",五戒为不杀生戒、不偷窃戒、不邪淫戒、不妄语戒、不饮酒戒。十善是不杀生、不偷盗、不邪淫、不妄语、不两舌、不恶口、不绮语、不贪、不瞋、不痴。这五戒十善就是教人爱护生命，关爱自己，培养慈悲心，消除瞋恨，完善人际关系，从而使身心调和。

佛教在饮食养生方面有自己的特色。佛教从生理和心理的角度将食分为以下四种，其一为段食，即指人体所需要的食物；其二为触食，即以眼、耳、鼻、舌、身、意六种官能所摄取的色、声、香、味、触、法等感觉；思食，即人的思想活动所产生的名词、术语；识食，即与爱欲相应的潜意识活动。佛教主张素食养生，以米、豆、杂粮为主食，佐以蔬菜瓜果，不沾荤腥，素食清淡，营养丰富，不易伤脾胃。佛教还要求僧人节制饮食，甚至有过午不食戒，要求不吸烟饮酒。所以这些饮食要求都有利于延年益寿。现代研究证明，素食者体内胆固醇含量非常低，很少发生高血压、心脏病或是血管方面的疾病。

佛教养生让人做到精神内守、恬淡虚无，增强了身心的调节能力，因而可以使人尽享天年。古代的高僧长寿者以禅师居多，近来也不乏其例。原中国佛教协会名誉会长虚云禅师，是一个苦行僧，一生坐禅，修庙不辍，活了120岁。其高足本焕法师，现任深圳弘法寺住持、中国佛教协会咨议委员会主席，也是生活俭朴，常年坚持禅修、诵经，97岁依然耳聪目明、行走便捷，时常奔走于全国各地讲经说法。虚云禅师的另一弟子妙智法师于1888年12月28日出生于福州市，2000年被评定为"全国第五届世纪健康老人"并名列榜首，今年则是117岁。他生前总结自己的养生之道为"三勤"、"三静"、"三淡"、"三乐"。三勤即是脑勤、手勤、脚勤；三静就是静心、静气、静行；三淡则是看淡权力、看淡金钱、淡忘年龄；三乐为要助人为乐、知足常乐、自得其乐。

道家养生流派以老庄为代表，他们认为事物各有天数，当极其天数，人也有天数，有自己的极限，当尽其天数，即尽其寿，养

麻姑献寿图

其天年。而尽其寿，就要顺应自然，顺应人生长的自然规律，少用不伤，全其神形，主张少私寡欲，清静无为，崇尚自然。老子主张返朴归真，清心寡欲，以静养性。庄子更是要求虚以养性，做到心如死灰，他提出了"坐忘"、"心斋"、"静坐"等养生方法。

道教养生流派是我国重要的养生流派。道教由张道陵创立于东汉中期的鹤鸣山，奉老子为教祖，尊称老子为"太上老君"，以《道德经》、《正一经》和《太平洞极经》为主要经典，以清静无为的黄老思想为指导思想。道教养生理论由于受古代原始宗教、神仙学说和巫术的影响，宣扬长生不死、神仙可学等思想，认为养生就是成仙，一些巫术、方术也被道教吸收作为养生方法，如按摩、针灸、医药之术。早期道教养生侧重于奇方妙术、外丹术。东汉、三国时期道教吸收了神仙方士养生术，如行气、服食、房中等，总结出了导引、吐纳、守一、胎息等修炼气功的方法，并有《太平经》、《老子想尔注》、《周易参同契》等养生专著问世。魏晋南北朝时期，道教养生理论进一步系统化，葛洪的《抱朴子》集修炼

汉骑鹿升仙画像砖

方术之大成,为道教养生创立了一套系统的养生术。他将养生术分为"内修"、"外养",前者为修心养德;后者为锻炼身体。陶弘景的《养性延命录》辑录了上自农黄,下及魏晋之间的导引养生理论和方法。唐代的司马承祯提倡"主静去欲"其养生著作《坐忘论》、《修真秘旨》、《天隐子》等,有力地推动了道教养生思想的发展。宋元时期,道术修炼由外丹转向内丹,内丹的理论与功法出现了南北两大宗派。南宗以北宋内丹大师张伯端为代表,提倡先命后性的内炼法诀,分为筑基、炼精化气、炼气化神和炼神还虚四个阶段炼养;北宗则以金代全真道始祖王重阳为代表,主张先性后命的炼养学说,分三乘丹法、修九转功夫。明清时期,道教由盛转衰,内丹术日见式微。不过一些简单易学、行之有效的导引、气功、按摩保健等养生方法广为流传,为民众所喜爱,如张三丰创立的武当内家拳术即誉满天下。

道教养生思想体现了形神合一的生命观及宇宙论的整体观,充满了乐生恶死的人生观,以生为乐,以长寿为福,追求长生不死,修道成仙。在修养方法上注重精神修养,屏弃一切欲念,使精神超脱;重视形体锻炼,葛洪在总结东汉华佗"五禽戏"的基础上创编了龙导、虎引、龟咽、燕飞、蛇屈、猿据、兔惊等锻炼身体的方法;讲究行气修炼,并创编了许多呼吸修炼的方法,如吐纳法、服气法、淘气法、调气法、咽气法、行气法、炼气法、闭气法、胎息法等等。总的来说,道教养生内容庞杂,包括导引、呼吸锻炼、内丹修炼、服食丹药、房中术等,其中既有糟粕,也不乏精华。其服丹药成仙、多御少女成仙就是欺骗,且危害极大。其修德为养生之先,注意形体锻炼和呼吸锻炼就有益于健康。我们当去其糟粕,存其精华。

三、养生殊术　文化同趣

我国传统养生各流派虽然在养生内容、手段上各有侧重,但其保养身心的目的,却有着共同的文化意趣。其文化内涵主要包括以下几个方面:

其一,以保全自我为宗旨。古代养生文化的主旨在于自我生命的保全,全其德,全其形。这种养生思想在道家思想里更为明显。荀子指出庄子之徒是"养生为己至道",也就是说道家养生的主旨在于保养自己的生命,突出的是个人生命。这种思想为养生家所继承,晋代的葛洪就提出"我命在我不在天"的思想。生命的长短在于自己,如果自己有积极的心态,恰当利用各种养生术,就能到达延年益寿的目的。反过来,消极处世,心胸狭窄,不懂得利用养生术,就会葬送自己的生命。

其二,以"和合"为原则。"和合"是中国文化的基本特征,我国传统养生文化也贯穿"和合"二字。"和合"即是调和、和谐的状态。孔子说,"礼之用,和为贵",意思是说遵从礼仪,是为了达到和谐的状态。古代养生文化属于"术"文化。养生术的利用就是为了达到和合的状态。不论是马王堆的

和合二仙

"导引"、"房中术",还是华佗的五禽戏、张三丰的太极拳,其目的都在此。从养生文化的角度看,人要合天地,人生天地之间,其生命活动与大自然息息相关。古人认为四时气候、昼夜更迭、日月运行、居住环境都会对人产生影响。《黄帝内经》就认为四季变化会影响人的情绪和气血。所以要顺应自然的变化,得自然之气,则天人合一,融于自然,寿与天比。

人还要和形气神。古人认为形神气合一才构成生命,形气神不可分离,无形则不可存神气,无神气则形难以生。神是生命的主宰,统领形、气,神动则气行,神注则气往;形是生命的基础,形具则神生,气足则神动。只有血气充足,神气饱满,形体强健,人才生机勃勃。

其三,以平衡为度。 中国古代有一种朴素的宇宙观,认为事物分为阴与阳两个对立的方面,如山坡向阳的一面为阳,背阳的一面为阴,只有阴阳平衡,事物才能生存、发展,阴阳失去平衡,或阴过于阳,或阳过于阴,事物就难以生存、发展。古人把这个理论引入医学和养生学领域,以此来阐释人体生理、病理问题,认为人体也存在着阴阳对立两个方面,二者互相转化,互相制约。人体阴阳平衡协调,就会保证健康。人体阳虚、阴虚,或阳盛、阴盛就会出现病症。养生,就是维持阴阳相对平衡,达到和谐与协调。对人来说,一切物质要素不可缺少,一切活动不可过度。《内经》所称"以平为期"。如平衡饮食、劳逸结合、心情平和、起居有常。反之,狂喜狂怒、积虑、偏食、房事过度、无所事事都不符合平衡要求,最终都会影响身心健康。在我国古代,平衡养生包括三个方面的内容,一是元素平衡。在古人看来,万物都是由金、木、水、火、土五种元素构成,人也是由这些元素组成的,这五种元素称为"五行",五行相生相克,缺一不可。五种元素平衡,身体就健康,缺什么元素就会出现某一方面的疾病。二是活动平衡。我国传统的功法讲究虚实、刚柔、吸斥、动静、开合、起落、放收、进退,体现了活动的平衡要求。三是心理平衡。人要有远大的理想和良好的道德修养,要保持乐观积极的心态,淡泊名利,不可过喜过悲、患得患失、斤斤计较、心胸狭窄、追逐名利。晋朝陶弘景曰:"莫大忧愁,莫大思,此所谓中和,能中各者,必久寿也。"也就是说情绪表达适中,心理平衡,就必然长寿。唐代的医学家孙思邈活了142岁,这与他乐观的心态和高尚的医德分不开。他不图名利,一心为病人,不考虑个人得失安危,也不问病人地位高低、贵贱贫富,恩怨亲疏,均一视同仁。他自己也说长怀欢喜之心,少发怒,心诚意正,思虑清晰,顺理修身,免去烦恼,就可以长寿。

其四,动静结合。古人看来,心神欲静,形体欲动,气贯穿于动静之中。古代养生理论重视动静相宜,刚柔相济,以动养形,以静养气养心。以静养神,不是心如死灰,而是有所用,只是精神专一。清代的曹庭栋说:"心不可无所用,非必如槁木,如死灰,方为养生之道。"并指出动而不妄思也是静。动以养形,《吕氏春秋·达郁》指出,"形不动则精不流,精不流则气郁。"动可以疏通血气,增强生命力。

其五,以养正气为本。养正气就是提高人的精神与生理力量的强度,增强人的生命力。儒家重视精神力量的增强。人的浩然正气是人的生命力强健的象征,孟子认为这种正气"至大至刚",充塞天地之间,它来源于道义,由道义所生。

医家注重生理的正气。古代医学认为身体的疾病在于邪气侵入,所以培养人体正气,增强生命活力和对自然环境的适应能力,就成为传统养生文化的要领。何谓人体正气?《寿亲养老新书》指出："一者少言语,养内气;二者戒色欲,养精气;三者薄滋味,养血气;四者咽津液,养脏气;五者莫嗔怒,养肝气;六者美饮食,养胃气;七者少思虑,养心气。"人体诸气得养,则正气充足,精力充沛。医家认为"气"包含三方面的内容:日月精华之"气";"先天之气",即父母阴阳相媾而结为人的初始之"天气";"后天之气",即日常饮食,维持生命活动的营养,称之"水谷之气"。医家认为,随着人的成长,"先天之气"逐渐损耗,须用"后天之气"加以补充。"行气"的目的就在于用功法,促使"后天之气"不断化生为"先天之气"。

百老图

第二章　养生之理

　　我国古代养生文化以朴素的宇宙观为基础。所谓"道生一,一生二,二生三,三生万物",意思是说道生阴阳,由于阴阳的矛盾,事物呈现不同的状态,而不同的状态有不同的发展要求。古代哲学还认为事物是由金木水火土"五行"组成,五行各有其性,五行之间相生相克。合阴阳,协和五行,万物才能生长。

一、阴阳五行 生生之道

阴阳、五行是我国古代朴素的哲学观点。在古人看来,万物不过是阴阳之化、五行相生相克的过程。世间万物虽然不同,但莫不分为阴阳两面,如日与月、男与女、昼与夜、刚与柔、死与生、动与静、大与小、阔与狭、长与短、方与圆、老与少、存与亡、盛与衰、进与退、远与近等等。事物的变化也是从阴到阳,由阳到阴,如从昼到夜,从生到死,从强到弱,从少到老,阴阳生生不已,万物变化不居。五行也是中国古人关于事物的基本观点,五行即金、木、水、火、土,此为万物的基本元素,这五种元素是相生相克,一物生一物,木生火,火生土,土生金,金生水,水生木。木燃为火,火灭为土,土中含金,金表有水,水润生木。此为相生。一物胜一物,水胜火,火胜金,金胜木,木胜土,土胜水,水能灭火,火能熔化金,金能削木,木能松土,土能掩水。此谓相克。

虽然阴阳相对,五行相生相克,但不意味着有阴无阳,有阳无阴,也不意味有木无水,有金无木,有水无火,有火无金,而是阴阳五行相和,万物杂以生。《国语·郑语》中有言:"夫和实生物,同则不继,以他平他谓之和,故能丰长而物归之。若以同裨同,尽乃弃矣。故先王以土与金木水火杂,以成百物。"事物因为和谐而生长,因为相同而灭亡,所以金木水火土相杂而生。《礼记》也称:"和,故百物皆化。"调和阴阳、五行才是生生之道。

1.阴阳之道

《周易》认为一阴一阳是事物发展是规律。万物变化、发展不过是阴阳交迭的无限的过程。阴、阳是事物变化的两个基本要素，在《周易》中，以爻表示阴、阳，-- —，前为阴爻，后为阳爻。由爻组成卦，卦表现出事物发展的形态，人们从这种形态可知事物发展的状况，"天垂象，以示人"。《周易》共计64卦，即是事物发展变化的64种状态，爻辞则是说明在这种状态下应该怎样做才能保证事物的发展。事物的发展变化就是阴阳消长的过程，阴消阳长，阳消阴长。应该说阴阳平衡是事物发展的良好状态，即"中和"，亦即中庸之道。过阴、过阳都不是好的状态。因此，古人将致"中和"作为理想的状态加以追求。《中庸》言："喜怒哀乐之未发，谓之中；发而皆中节，谓之和。中也者，天下之大本也；和也者，天下之达道也。致中和，天地位焉，五物育焉。"用到个人身上，也就是一个人能保持阴阳调和，就能保持生命的生长。阴阳只是相对的两个方面，阳胜阴则阴虚，阴胜阳则阳虚，都表示个人的生命健康存在问题。阴阳相合，保持中和状态，就是事物的理想状态。而达到这一理想状态的办法就是"顺"，所谓父天母地，顺天地之性。从《周易》中我们可以分析其中的道理。

《周易》64卦，每卦由六爻组成，卦有卦象，爻亦有象。爻是表示阴与阳的符号，其形同男根与女阴，所以郭沫若认为爻象男女，体现古代的生殖崇拜。《周易》前三卦就描绘出男女相合及一个新生命的开始的过程。乾卦为纯阳，坤卦为纯阴，可将其视为成熟的男人和女人，纯阳接阴，纯阴接阳，顺此便有了阴阳之合，而成阴阳相合之象，乾坤二卦之后皆是阴阳相合之象。乾卦，六爻皆阳，也因六爻皆阳，故称"纯粹精"。当阳气初长时，为"潜龙勿用"，即不与阴交接；当阳气至极，"亢龙有悔"，有接阴之意。坤卦有六阴爻组成，象征事物的本原，是事物生长的基础。当阴气生长时应顺天以聚阴，阴满后与阳结合。接乾、坤二卦之

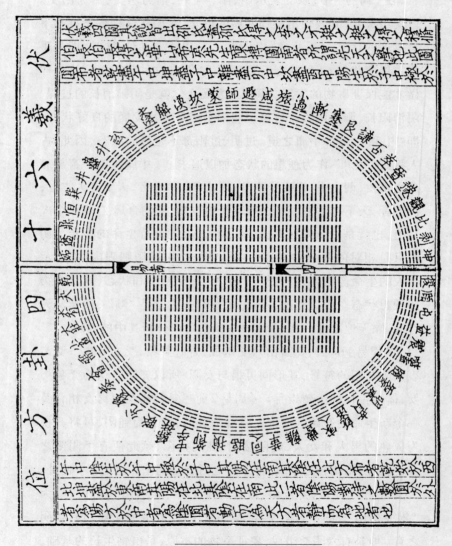

伏羲六十四卦方位图

《周易》六十四卦卦德

乾,其德为健,顺此当如天一样变动不居,刚健有为,自强不息;

坤,其德为顺,顺此则如地一样承载万物的生长,厚德载物;

屯,其德为难,知此则要准备应对困难的能力和知识;

蒙,其德为萌,应果断不疑,具备德行;

需,其德为濡,应像吃饭一样积蓄力量;

讼,其德为讼,如水天相背,应理顺各种关系,为发展作准备;

师,其德为将帅,应有包容之心,能承载众人;

比,其德为亲,应亲和社会与他人,如此才能协调各种关系;

小畜,其德为小见畜于大,应修其身,养其德,然后才能成其大;

履,其德为处危,应辨明礼节,安定人心;

泰,其德为通,当顺应天地之道,通畅人情;

否,其德为闭,应以俭敛为德,不居功自傲;

同人,其德为侪于众,应明晰类别,分清事理;

大有,其德为大为小所有,应扬善抑恶,顺天而行;

谦,其德为谦卑,应轻重平衡,以多益少;

豫,其德为誉,当发扬其德;

随,其德为堕,应随时而动;

蛊,其德为故,应振作精神;

临,其德为隆,隆德感化;

观,其德为居高临下,应环视周围,了解人情物理;

噬嗑,其德为食,应明法度;

贲,其德为饰,应谨慎;

剥,其德为侵剥,剥上益下,安顿基础;

复,其德为亨,应以静休养,不可妄作;

无妄,其德为无望,顺应自然,不可强求;

大畜,其德为大为小所畜,应学习前人,修炼其德;

颐,其德为象人之颐,慎其言语,节其饮食;

大过,其德为为善而过,当独立于世,不可愤世嫉俗;

坎,其德为陷,应行为有常,虚心学习;

离,其德为丽,应惠施于人,光大其德;

咸,其德为感,应虚其心,宽容大度,接受他人;

恒,其德为恒久,应懂得不变的道理;

遁,阳浸长而将极,其德为退,当远邪气、小人;

大壮,其德为阳浸长而将极,应合乎礼度;

晋,其德为进,应光大自己的德行;

明夷,其德为晦,用晦而明,不可至清至察;

家人,其德为室家雍睦,应言之有物,行为有恒;

睽,其德为乖,应同中求异;

蹇,其德为险难,应从自己身找原因,修养其德;

解,其德为遇难而缓,应宽宥罪过;

损,其德为损上益下,要控制自己的情绪欲望;

益,其德为损强益弱,要改过迁善;

夬,其德为决,应恩泽广施,不可聚财于己;

姤,其德为遘,当如风行天下,广及事物;

萃,其德为聚,要预防;

升,其德为上进,要顺应自然、人道;

困,其德为困迫,要有杀身成仁的志气;

井,其德为困,应共享,相互帮助;

革,其德为更,当因时而变;

鼎,其德为烹饪,要坚守本位;

震,其德为动,应有所惧,有所修省;

艮,其德为止,根据自己的地位思考问题;

渐,其德为渐,要积累其德;

归妹,其德为女归,应节情于礼,知放纵之弊;

丰,其德为先少后多,要明察秋毫,做到明断;

旅,其德为失居,应明察、谨慎、及时,不草率、拖延;

巽,其德为入,应顺命行事;

兑,其德为悦,应彼此交流、切磋;

涣,其德为贤,应集中意志;

节,其德为先多后少,以制度节之,使行为合宜;

中孚,其德为包,当包容,使人无憾;

　　小过，其德为柔而过，要适度，不可过分，过分恭敬、孝哀、节俭即是小过；

　　既济，其德为尽吉，有忧患之心，才能万事亨通；

　　未济，其德为未济，应区别不同事物，使之各得其所。

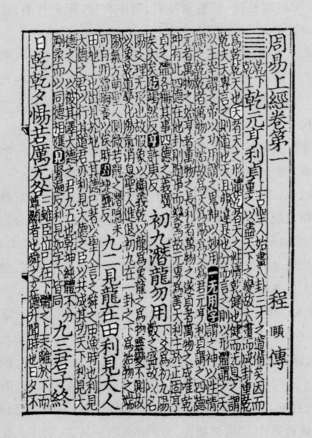

后即为屯卦，"屯"乃乾坤始交,可谓新生命的开始。

虽然不能简单地说"易"是个人的生命过程,但是其中肯定包含普遍的发展道理。如唐代的孔颖达认为爻表示阴阳二气,"夫易者,变化之总名,改换之殊称。……故圣人初画八卦,设刚柔两画,象二气也。布以三位,象三才也。"但是,可以说阳必须与阴结合,阳胜则补阴,阴胜则补阳,阴中有阳,阳中有阴,这是事物发展必然要求,只有顺之才生。

我们从《周易》可以看出,万物因阴阳相接而生,因顺卦德而刚健。"德者,得也",将居其位,处其势,顺其德,才能较好地能发展自己。而卦象、爻象之言正是说明处于不同的状态应该采取的态度。

从养生文化的角度,我们可以从《周易》的思想中归纳出三点养生观:其一,阴、阳结合是生之基础。无阳独阴无以生,无阴独阳无以生,二者相互制约。生命只有相接而生。其二,应顺德而行。事物发展的要求是不可违背的,只有顺之而行,才会生生不已。其三,展示了人的生命过程。无论是每一卦,还是整个 64 卦都是描绘生命的发展过程。如乾卦描绘了人由孕育母腹,到出生后由大人抚养,再到成人干事业的过程。

《周易》中的养生思想为古代医学所吸收,明代医学家张景岳说:"不知《易》,不足以言大医。"《内经》将人的阴阳统一起来,认为事物发展也是阴阳生化的过程。其一,阴阳相合。阴阳不可离。《素问·生气通天论》说:"阴平阳秘,精神乃治;阴阳离决,精气乃绝。"阴阳相合才有新生命的产生、发展,阴阳相离,就生命就会灭亡,"两神相合,合而成形"。其二,阴阳生化的过程。《素问·天元纪大论》说:"物生谓之化,物极谓之变,阴阳不测谓之神",又说:"生生化化,品物咸章",生化过程即是"曰阴曰阳,曰柔曰刚"。其三,阴阳和谐。健康就意味着阴阳和谐,阴阳失调,就发生身心疾病。《灵枢·九针十二原》说:"夺阴者死,夺阳者狂。"

与《周易》顺德而行的观点一样,古代医学、养生学强调养生就要顺养,要顺应"四时之序",调和阴阳,如《黄帝内经》之《素问·上古天真论》:"中古之时,有至人者,淳德全道,合于阴阳,调于四时……此盖益其寿命而强者也,亦归于真人。"只有调和阴阳,顺应四时,才能达到身体强健、长寿的目的。

一要顺应季节变化而养。《内经》言:"夫四时阴阳者,万物之根本也。所以圣人春夏养阳,秋冬养阴,以从其根,故与万物沉浮于生长之门。逆其根,则伐其本、坏其真矣。故阴阳四时者,万物之终始也,死生之本也。逆之则灾害生,从之则苛疾不起,是谓得道。"也就是说调和阴阳、和顺四时是生命生长的根本,春夏保养心肝,秋冬保养肺肾,此为保养根本。顺之则健康,反之则易生病。《内经》之《素问·四时刺逆从论》:"春者,天气始开,地气始泄,冻解冰释,水行经通,故人气在脉。夏者,经满气溢,入孙络受血,皮肤充实。长夏者,经络皆盛,内溢肌中。秋者,天气始收,腠理闭塞,皮肤引急。冬者盖藏,血气在中,内着骨髓,通于五脏。是故邪气者,常随四时之气血而入客也,至其变化,不可为度。然必从其经气,辟除其邪,除其邪,则乱气不生。"春天天气渐暖,地气泄露,冻土已解,冰雪融化,河水流动,与此相应,人气在经脉。夏天经脉充满,肌肤滋润。秋天天气收敛,人身腠理闭塞,皮肤收缩。冬天血气收敛,附于骨髓,贯通五脏。邪气往往随四时之气血而侵入,必须除其邪,才能保证身体健康。《内经》之《灵枢·五癃津液别》说:"天暑衣厚则腠理开,故汗出……天寒则腠理闭,气湿不行,水下留于膀胱,则为溺与气。"也就是夏天腠理开泄，汗出而保持正常的体温，适应于外界的天暑地热；冬天腠理闭密，保津蓄温，以适应外界的天寒地冻。《素问·移精变气论》又说："动作以避寒，阴居以避暑。"也就是说在寒冷的季节要进行适当的活动，在炎热的季节则要在阴凉处休息，以免身体过多的消耗。

二要顺应一天的变化以调理自己。《素问·生气通天论》说："故阳气者，一日而主外，平旦人气生，日中而阳气隆，日西而阳气已虚，气门乃闭。"也就是说早晨阳气逐渐产生，中午阳气最旺盛，黄昏则阳气减少，需要休息，遵循"日出而作，日落而息"。《灵枢·顺气一日分为四时》也说："朝则人气始生，病气衰，故旦慧；日中人气长，长则胜邪，故安；夕则人气始衰，邪气始生，故加；夜半人气入藏，邪气独居于身，故甚也。"亦即早晨因阳气升，病情较稳定，中午阳气旺，病情较轻，黄昏以后阳气渐少，病情就逐渐加重。调理身体就要因时而补。

三要顺年龄变化而养。人从发育到衰老是自然过程，不同年龄有不同的身体状况，要根据不同年龄的身体状况调养自己。人在幼年宜多在户外活动，多游戏，不可长期养在房中。隋代的《巢氏病源》说："小儿始生，肌肤未成，不可暖衣，暖则令筋骨缓弱。宜时见风日，若不见风，则令肌肤脆软，便易中伤损"，《千金要方》又言："天和暖无风之时，令母将抱日中嬉戏，数见风日，则血凝气刚，肌肉硬密，堪耐风寒，不致疾病。若常藏在帏帐之内，重衣温暖，譬如阴地之草木，不见风日，软脆不任风寒。"多户外活动可以促进孩子发育，强筋健骨。

少年正值发育的旺盛时期，不可过早破阴破阳。"譬如园中之花，早发必先萎也。"过早的性行为，青春必先枯萎。

青年时期必待身体完全成熟才能论婚嫁，男三十而娶，女二十而嫁。而且要节制房事,少育,王充在《论衡》中指出女子少育可以保证其气血旺盛,后代健康。

人到中年,身体开始衰退,要注意保养。《内经》之《上古天真论》说女子到 35 岁,则"阳明脉衰,面始焦,发始堕",到 42 岁,则"阳脉衰于上,面皆焦,发始白"。男子 40 岁则"肾气衰,发堕齿槁",到 48 岁,则"阳气衰竭于上,面焦,发鬓颁白"。中年需要重视调养。

老人则应清静无为,怡情悦志。元代王珪说:"盖年老养生之道不贵苛求,先当以前贤破幻之诗,洗涤胸中忧结,而名利不苛求,喜怒不妄发,声色不因循,滋味不耽嗜,神虑不邪思,无益之书莫读,不急之务莫劳。"老年不要贪图名利,妄发喜怒,过分思虑,过多劳累,而要寻求乐趣,如唐朝孙思邈所说:"亲故邻里来相访问,携手出游百步,或量力宜谈笑简约其趣,才得欢适,不可过度耳。"饮食方面要以温软食物为主,"老人之食,大抵宜温热、熟软,忌其粘硬生冷"。房事方面当节欲保精,"远房帷,绝嗜欲"。学习方面"犹当晚学,不可自弃"。因为晚学不仅健脑,而且娱情,"常用脑,可防脑","闷来阅之,殊胜闷坐"。

2.相生相克之道

五行学说是我国古代重要的哲学思想,是养生学的理论来源之一。"五行"指金、木、水、火、土五种物质元素;"行"有三种涵义,一指类别。即将事物分成五类以便认识世界。我国古代有"尚五"的习惯,如五方、五材、五音、五色、五味、五常,经验上将事物分为五类可以成为认识框架。二是事物的性能。五行各有其用。五行实则表示五用,用之可生。水土为万物之本原,万物得以生,《周易》称"万物本乎土","百谷草木丽乎土"。《管子·水地》说:"地者,万物之本原,诸生之根苑也";"水者,何也?万物之本原,诸生之宗室也";"水者,地之血气,如筋脉之流通者也。集于天地而藏于万物,产于金石,集于诸生,故曰水神。"《尚书·洪范》对五行性能思想作了明确的表达,"五行,一曰水,二曰火,三曰木,四曰金,五曰土。水曰润下,火曰炎上,木曰曲直,金曰从革,土爱稼穑。润下作咸,炎上作苦,曲直作酸,从革作辛,稼穑作甘。"水之性,滋润、向下、静藏;火之性,升腾、向上、炎热;木之性,生长、条达、舒展;金之性,肃杀、潜降、收敛;土之性,生化、承载、受纳。三是运行。《春秋繁露·五行相生》指出:"天地之气,合而为一,分为阴阳,判为四时,列为五行。行者,行也;其行不同,故谓之五行。"

"行"为运动之意。这种运动表现在三个方面,一是相生。木生火,火生土,土生金,金生水,水复生木。二是相克。"克"即是胜,一物克制另一物,水胜火,火胜金,金胜木,木胜土,土胜水。《白虎通义》云:"五行所以相害者,天地之性,众胜寡,故水胜火也;精胜坚,故火胜金;刚胜柔,故金胜木;专胜散,故木胜土;实胜虚,故土胜水也。"三是相制。即相互促进的关系。明代的郎瑛在所著《七修类稿·天地类》中对五行之间的相制作了详细的阐释,"生克制化,古今所言,然生克化皆易见,独制字则难明。盖制者,缘生中有克,克中有用也。凡生中有克者,谓如木生火,火盛则木为灰烬;火生土,土盛则火被遏灭;土生金,金盛则草木不生;金生水,水盛则金必沉溺;水生木,木盛则水为阻滞,盖虽生而反忌,此所谓生中有克。凡克中有用者,谓如木克土,土厚则喜木克,是为秀耸山林;土克水,水盛则喜土克,是为搏节堤防;水克火,火盛则喜水克,是为既济成功;火克金,金盛则喜火克,是为锻炼金材;金克木,木盛则喜金克,是为斧斤斫削。盖因克以为美,此所谓克中有用。故称之制者,乃不拘于生克之中也。"因为生中有克,克中有用,木胜土,但土厚木更为茂盛;水克火,大火更要大水灭;火克金,金于为材则更需要火烈;金克木,木头大则更需要锐金,五行之间存在相互促进的关系,没有土的厚实,也就没有木的繁茂;没有大水也就难以控制大火,没有烈火也就没有钢金,没有钢金也就难以锯大木。

古人将五行学说运用到医学和养生学,并将人体与五行对照,《管子·四时》将阴阳五行、天人一体类比,管子认为地分东南西北中五方,中调和四方之气,春则生,夏则施,秋则敛,冬则藏。不仅将五行与人事相联,而且将五行与人的五脏相对应,肝属木,脾属土,心属火,肺属金,肾属水。这样肝有木性,具有条达、舒展的功能;脾有土性,具有润物、化生的功能;心有火性具有升腾、增强的功能;肺有金性,具有肃杀、排毒、收敛的功能;肾有水性降温、滋润、积蓄的功能。根据五行相生相克的道理,则肾生肝,肝生心,心生脾,脾生肺,肺生肾。肾属水,肝属木,水能生木,肾为肝之母,肝为肾之子,因此补肾可以益肝,肾亏会伤肝。肝属木,心属火,木能生火,肝为心之母,心为肝之子,肝不好会影响到心脏。心属火,脾属土,火能生土,心为脾之母,脾为心之子,心脏与脾脏休戚相关。脾属土,肺属金,土能生金,脾为肺之母,肺为脾之子,脾肺相依。肺属金,肾属水,金能生水,肺为肾之母,肾为肺之子,二者相联。母病会及子,即肾及肝,肝及心,心及脾,脾及肺,肺及肾;子病亦犯母,即肾犯肺,肺犯脾,脾犯心,心犯肝,肝犯肾。五行相克,则为肝克脾,脾克肾,肾克心,心克肺,肺克肝。知道五脏之间相生相克的道理,通过调和五者之间的状况,使人体机能正常运行,可以达到健康益寿的目的。

古人不仅将五行运用到人体机能,而且运用到情绪,把情绪与五脏相联。《内经》认为，肝木之志为怒，心火之志为喜，脾土之志为思，肺金之志为忧，肾水之志为恐，五志相胜，其《素问·玉机真脏论》说："忧、恐、悲、喜、怒，令不得以其次，故令人有大病矣，因而喜大虚，则肾气乘矣；怒则肝气乘矣；悲则肺气乘矣；恐则脾气乘矣；忧则心气乘矣，此其道也"。过喜伤心，就会被肾气所克；过怒伤肝，肺气就会胜之；过分思虑就会伤脾，肝气就会胜之；过度恐惧而伤肾，脾气就会克之；过度忧伤而伤肺，就会被心气胜之。如此则会发病。因此而，调控情绪，使情绪表达适度，就能保证人体机能的正常工作和体内平衡。

蛰藏采气图

二、养气形神 成真人身

古人认为有呼吸、有形体、有精神，三者合一才为健全的人。所以，养生就要养形、神、气，"一曰爱其形，二曰保其神，三曰贵其气，四曰固其根"，达到气充形坚神凝，才可谓真人。气，是万物之始，是精微，不是眼睛看得到的东西，如张载所说"所谓气也者，非待其郁蒸凝聚，接于目而后知之"，气虽然看不见，但是客观存在，古人分为阴气、阳气、风气、雨气、晦气、明气。形，指形体，包括人体的五脏、皮肉、筋骨、脉络、精血。神即是人的精神，包括意志、德性、思虑、理智等。养生就是要做到气全、形全、神全。

1.气形神合

气、形、神，三者不可分离，相互依赖。在道教看来，在人体中，灵为神，宝为气，形为灵宝之宅。"形气既立，而后有神。"

气为始为根，气结为形。在我国古代思想里，气是万物的质料，万物因气而生。所谓元气、精微皆指万物之始。《修真指玄真经》说："天地万物，莫不由气以生者也。"人也是禀气而生，因气散而死。东汉哲学家王充说："人未生，在元气之中；既死，复归元气。元气荒忽，人气在其中。"又说："阴阳之气，凝而为人。年终寿尽，死还为气。""人以气为寿，形随气而动。"气凝成形，二者相须，"气以形载，形以气充"。形载气，其结为形，《长生胎元神用经》说："气结为形，形是受气之本宗，气是形之根元"。形与气相互依赖，气存形在，气竭形亡。

气为根,气与神为母子,气为母,神为子,母子相守,"气以制神,神以摄气,母子相守,性命混融。然后万神不散故能灵,一气凝结则成宝,是谓一身之灵宝也。"气实际上是形、神之本,所以"欲得长生,当修所生之本。"也就是说养生当以养气为本。神可制气,神凝则气聚,神散则气散,神当与气常合,神与气常合,是谓神气全也。"

形为气、神之宅。"形恃神以立,神须形以存"。司马迁也说:"凡人所生者神也,所托者形也。神大用则竭,形大劳则敝,形神离则死。"人之所以生在于神,神托以形,神不可竭,形不可枯,神形相离则死。《青囊秘录》亦言:"夫形者神之宅也,而精者气之宅也,宅坏则神荡,宅动则气散,神荡则昏,气散则疲。"养生得神形兼养,性命双修,如此则身心健康,生命强劲。保养神、形不仅有益于自己,而且有利于优生。夫妻神和气顺精强,则生子端正、有福气、能长寿,反之则生畸形儿。

2.养气为本

气为形、神之母,有气则有形,有形则有神。养气就是养根本。《胎息精微论》说:"欲得长生,当修所生,所生之本,始于精气。"意思是说,要长生,就要修炼精气,因为精气是生命的本原。

气为物之始,而气生于天地之间,所以养气要与天地合气,王充说:"天地合气,万物自生。"道教内丹法就是吸纳自然之气,沉于下丹田以炼内丹。《生神经》说:"以我之精合天地万物之精,以我之神合天地万物之神,以我之魂合天地万物之魂,以我之魄和天地万物之魄,则天地万物皆吾精、吾神、吾魂、吾魄。"这就是将人体之气与自然之气贯通,达到养气的目的。

在道教看来，合天地之气需要静虚，排除一切杂念。如果能静虚，就能和气自至，元气自足，则"气化为血，血化为髓，一年易气，二年易血，三年易脉，四年易肉，五年易髓，六年易筋，七年易骨，八年易发，九年易形为真人。"人能通过炼气达到脱胎换骨的地步，恐怕是道教的一种幻想。

3.养形为重

形为神之宅，无形则神无以存。张景岳说："吾之所赖者，唯形耳，无形则无吾矣，谓非人生之首务哉。"又说："善养生者，可不先养此形以为神明之宅。"没有形体就没有精神；没有身体的强健，没有精血的充盈，也就谈不上精神的高效活动。

首先要养精血。精血的流畅、充盈，才能保证身体各器官功能的健全与发达。张景岳认为养精血是养形的关键，只有养精血才能固本去邪，才能发挥五脏的功能，精血似水，是形体生长的来源。所以，养生以养精血为先。张氏又说："凡欲治病者，必以形体为主，欲治形者，必以精血为先，此实医家之大门路。"

4.凝神为要

身心相联，身体受精神支配，精神是身体的主宰，《内经》认为心为君主之官，神明由此出，精神的明朗，就会健康长寿，精神不明，就不会有身体的健康，精神的崩溃，身体失去主宰，就会衰亡。《内经》还指出："失神者死，得神者生也"；"得神者昌，失神者亡也"。《太平经》说："人有一身，与精神常合并也。形者乃主死，精神者乃主生，常合即吉，去则凶。无精神则死，有精神则生。常合即为一，可以长存也"；"故精神不可不常守之，守之即长寿，失之即命穷尽"。也就是说精神与身体不可分离，神为主导生命,形主导死亡,养神守神则生命长久。所以养形不是真正的养生,只有形神兼养,才是真正的养生。《西升经》称:"伪道养形,真道养神。"而且只有健康的精神,才会防止肌体的疾病,有助于肌体的正常运作和器官的健康。管子说,心神安定,耳目聪明,四肢坚固;四体健康,血气平静,则一意专心,耳目不淫。相反,心神不定,过度思虑,暴怒,忧郁,都会生病,病情加重就会死亡。

气功文献

养神在于明理。张景岳说:"昔人云:医者,意也,意思精详,则得之;余曰:医者,理也,理透心明,斯至矣。"也就说只有明理,才能养神。理、性在古代基本上是一会事,理透心明,养性修德,这是养神的重要方面,德不修,志不明,何以有神气?《道德经》说:"知足不辱,知止不殆,可以长久",又说:"祸莫大于不知足,咎莫大于欲得",知足常乐,知止长久,不知足,不止欲望,则咎由自取,所以要修德以进,才能长寿,"道生之,德蓄之,物形之,势成之,是以万物莫不尊道而贵德"。《中庸》也说:"大德必得其寿。"古代医学强调养性修德,以保证长寿,《内经》之《上古天真论》说:"嗜欲不能劳其目,淫邪不能惑其心,愚智贤不肖不惧于物，故合于道，所以能年皆度百岁，而动作不衰者，以其德全不危也。"合于道，养其德，则身心健康。孙思邈也指出："夫养性者，所以习以成性，性自为善。……性既自善，内外百病皆不悉生，祸乱害亦无由生，此养生之大经也"；他还说："古养性者，不但饵药餐霞，其在兼于百行。百行周备，虽绝药饵，足以遐年；德行不充，纵服玉液金丹，未能延寿。"养其性情、德性，无嫉妒、贪婪之心，乐施好助，举止合乎理解，则心情舒畅，百病何以生？妒忌、贪婪、欺骗、纵欲、娇纵、待人粗暴、贪污腐败、背叛道义都会对人的身体产生不良影响。元代李鹏飞告诫人们："夫元气有根，人欲无涯。火生于木，祸发必克。但今之人不修人道，贪爱嗜欲，其数消灭，只与物同也。所以有病夭殇之患。"人因德而立，无德与物类同，自然不可长久。

三、相生宜之　相伤禁之

强健的生命力是我国养生文化的祈求，"养生以不伤为本"。古代传说中的老寿星彭祖就说，长寿之道，在于不上生。《吕氏春秋·节丧》亦言："知生也者，不以害生，养生之谓也。"生有生之道，顺之则昌，逆之则亡。养生即要顺养，顺应自然之性，而不伤及身心，不要因为喜怒哀乐伤身，"忧愁悲哀伤人，寒暖失常伤人，喜乐过度伤人，愤怒不解伤人，汲汲所愿伤人，阴阳不顺伤人"。所以顺生者宜之，伤生者禁之。阴阳相接，男女相合才有生，宜阴接阳，阳接阴；阴不可独，阳也不可独，阴阳不接则伤故禁之。五行相生相克，相生宜之，相克则伤故禁之。神形不可离如阴阳不可分，宜双修，而禁离之。

孙思邈像

孙思邈《保生铭》指出:人忌劳于形,百病不能成;饮酒忌大醉,诸病自不生;食了行百步,数将手摩肚;饱食终无益,忍辱为上乘;思虑最伤神,喜怒伤和息;春夏任宣通,秋冬固阳事,独卧是守真,慎静最为贵;财帛生有分,知足将为利;唾涕不远顾,寅壬日剪甲,理发须百度;饱则立小便,饥则坐漩溺;行坐莫当风,居处无小隙。

宜者生之，所宜之事当常做。孙氏在《千金要方》中要求吞唾液，"朝旦未起，早嗽津令满口乃吞之，琢齿二七遍。"如此可养颜固齿。《勿药元诠》中也提出十六宜：发宜常梳，面宜常擦，目宜常运，耳宜常弹，舌宜抵颚，齿宜数叩，津宜初咽，浊宜常呵，背宜常暖，胸宜常护，腹宜常擦，谷道宜常摄，肢节宜常摇，足心宜常擦，皮肤宜常沐浴，大小便宜闭口勿多言。

伤者禁之，所禁之事当少为或不为。伤会折损年命，"积伤至尽则早亡"。伤有多种情况，葛洪指出：才能不逮而困思之，伤也；力量不胜而强举之，伤也；悲哀憔悴，伤也；喜乐过度，伤也；汲汲所欲，伤也；久谈言笑，伤也；寝息失时，伤也；挽弓引弩，伤也；沉醉呕吐，伤也；饱食即卧，伤也；跳走喘乏，伤也；欢笑哭泣，伤也；阴阳不交，伤也。孔子就说："君子有三戒：少之时，血气未定，戒之在色；及其壮也，血气方刚，戒之在斗；及其老也，血气既衰，戒之在得。"《吕氏春秋·尽数》说养生当务本去害，"大甘、大酸、大苦、大辛、大咸，五者充形则生害矣；大喜、大怒、大忧、大恐、大哀，五者接神则生害矣；大寒、大热、大燥、大湿、大风、大霖、大雾，七者动精则生害矣。"

东晋张湛在《养生要集》中认为，养生的关键在于实行"十二少"，即少思、少念、少欲、少事、少语、少笑、少愁、少乐、少喜、少怒、少好、少恶。避免"十二多"，即多思则身殆，多念则志散，多欲则损智，多事则形疲，多语则气争，多笑则伤脏，多愁则心慑，多乐则意溢，多善则妄错昏乱，多想则百脉不定，多好则专迷不治，多恶则燋煎无欢，认为这十二多是伤生之本。"二十八禁"：禁无施精，寿命夭；禁无大食，百脉闭；禁无太息，精漏出；禁无久立，神倦极；禁无大温，消骨髓；禁无大饮，膀胱急；禁无久卧，精气斥；禁无大寒，伤肌肉；禁无久视，令目蒙；禁无久语，舌枯渴;禁无久坐,令气逆;禁无热食,伤五气;禁无啄唾,失肥汁;禁无喜怒,身不乐;禁无多眠,神放逸;禁无寒食,生病结;禁无出涕,令涩溃;禁无大喜,神越出;禁无远视,劳神气;禁无久听,聪明闭;禁无食生,害肠胃;禁无叫户,惊魂魄;禁无远行,劳筋骨;禁无久念,志恍惚;禁无酒醉,伤生气;禁无哭泣,神悲戚;禁无五味,伤肠胃;禁无久骑,伤筋终。"也就是不能射精,不能饱食,不能叹息,不能久站,不能穿衣太暖,不能豪饮,不能久卧,不能冻身体,不能久视,不能长久说话,不能久坐,不能吃热食,不要吐唾液,不要喜怒,不要多睡,不要吃冷食物,防止流涕,不要大喜,不要望远,不要久听,不要吃生食物,不要呼叫,不要走远路,不要长久思念,不要醉酒,不要哭泣,不吃味多食物,不要久骑。

孙思邈在《千金翼方》中提出人到五十后,阳气渐衰,注意伤生,不要勉强用力,不要举重,不要疾行,不要喜怒无常,不要极目远眺,不要用力去听,不要用大的愿望,不要过于思虑,不要呼喊、吼叫、闭口,不要饮酒无度。他认为能做到这样,就可以无病长寿。还要常避大风、大雨、大寒、大暑、大露、霜、霰、雪、旋风、恶气,能不触犯这一切,则是大吉祥。

古人所谓禁忌者,实际上是教人顺应自然而不伤自然,生命本顺其自然之性而不伤之,才能身体健康,心情舒畅。宋代长寿诗人陆游到老年还能"两目神光穿夜户,一头胎发入晨梳。"其长寿之道在于其爱:一爱吃粥,把吃粥当作长寿之方;二爱按摩,饭后闲余、身体衰弱时常按摩;三爱扫地,其《剑南诗钞》云:"一帚常在旁,有暇即扫地。即省课童奴,亦以平血气。不如扫地法,延年直差易。"四爱茶棋,他说:"活火常煮茗,残枰静弈棋。"五爱登山,陆游六十岁时还登山游览,且不要人扶。六爱散步,饭后、清晨常散步。七爱书法,以书法驱散心中的忧愁,其《草书歌》

乾隆像

　　乾隆皇帝高寿89岁，就是坚持他所谓的"十常四勿"。十常指齿常叩、津常咽、耳常弹、鼻常揉、眼常运、面常搓、足常摩、腹常旋、股常伸、肚常提。四勿就是食勿言、卧勿语、饮勿醉、色勿迷。

云："此时驱尽心中愁，捶床大叫狂堕帻。吴笺蜀素不快人，付与高堂三丈壁。"

第三章　养心于内

在我国古代养生文化里，全生是最高的价值追求。"全生"就是得其道，达其志，乐其所归。因此，精神是古代养生的首要内容，养生以养德为先，养生贵在养心。在我国古代，儒、释、道、医皆重视养德安心，其根本的宗旨都是顺应自然，养成习性，提升生命的价值。道家顺应自然的生命而保守其生命；儒家则顺应生命的自然而伸展之，不断的突破自我，最终获得包容宇宙之心；释家则顺应生命的流动，即起则起，即灭则灭，如此则"常乐我净"；医家以养德为健康的来源，认为人的道德越高尚，身体的疾病越少。总的说都是教人扩大自我的心态，心中越没有自我，心就越安宁，生命也就获得了永恒的价值。

一、回归自然　道家之养

　　道家以无为事物之始,万物从无到有,养心就是回到虚无的心理状态。一个人来到世上心里念念不忘仁义、礼节、功名、利禄,并以此作为人生追求的目标和快乐的来源,然而,往往却为这些东西所托累而失去人的本性。道家教人忘却身外之物、忘掉自己,归于虚无,与物混同,回到事物的原初状态。这种状态就是自然状态、朴素状态、静柔状态、虚无状态、混沌状态。

1.无为贵柔　长生久视

　　心归于永恒,在老子看来就是回归自然。他说:"人法地,地法天,天法道,道法自然。""含德之厚,比于赤子。"婴儿乃生之所始,其无知无欲,纯真,无牵挂,思想具有行动性,动则思想,停则安睡,无思虑之累,无功名利禄的压力,故无所不为,无所不能,无所不得。所以我们要自比婴孩,虽雄健,也守于雌柔。如果我们永远都处于婴孩状态,我们就永远有生的无限性和可能性。因此,复归婴儿,归于自然,才能获得生命的永恒。

　　老子所谓婴孩之心实际上为生命之初始,即朴素自然之心,是柔顺之心,痴愚之心,朴素者、柔顺者、痴愚者,皆生命之初始,朴素所以能成其华美,柔顺所以能厚德载物而全其性,大愚成其大智。

　　其一,以绝学弃智而至抱朴。朴素者自然也,素者白也,朴者未雕凿也,回归自然就是要见素抱朴,寻求永恒。如此才能长生久视,虽死而不亡。在老子看来,人之所以有大患者,在于有身体

老子

之欲，如果忘掉了形体，又有何患？也就是说一个人如果超越了身体的欲望，心才归于自然。回归自然的过程就是绝学弃智的过程。与儒家相反，道家并不要求人们讲究人伦之道，而是要求抛弃这一切，不要去学习儒家所谓的修身、齐家、治国、平天下，强调不学仁义而有仁义，不学巧智则有大智。"绝圣弃智，民利百倍。绝仁弃义，民复孝慈。绝巧弃利，盗贼无有。此三者，以为文不足，故令有所属：见素抱朴，少私寡欲。"圣人不求而得，不为而成，以朴素为生之本，守其朴素则成大美厚德，相反恪守仁义礼节，会造成衣冠禽兽，导致社会混乱。因此我们不追求所得，不追求表面的仁义礼节，抛弃智巧，崇朴素之本，就会有仁义之彰，事物之华。因为当人们在追求这些所谓的善时，实际上丧失了生生之本。所以老子说"绝学无忧"。绝学实际上就是要达到无物我、人我分别的混沌的心灵状态。俗人追求荣华富贵，无不心怀志向，计较与物、与他人的各种关系，一副天生我才必有用的样子，而我则混沌如婴儿，无为无欲，无人我、物我分别，闷闷昏昏。也正因为这样我才无忧无虑，无名利之累。在老子看来，这才是生生之道。老子的这些观点含有丰富的辩证思想，一个人不执着于欲望，不迷于美色，惑于荣利，超然于名利之外实则可以荣身。

其二，以闭目塞听而达寡欲。 没有私欲，心才流动不居，生化不已。有欲则心执着所欲而失去生命的活跃。欲望过大就是罪过，不知足就会祸害加身，老子说："罪莫大于可欲，祸莫大于不知足，咎莫憯于欲得。"欲望没有止境则会降祸于身。私欲都是由外物引起的，因为外物引起感官上的快乐，人们停留在感官上的快乐，则扰乱视听，其心不得安宁。又说："五色令人目盲；五音令人耳聋；五味令人口爽；驰骋畋猎令人心发狂；难得之货令人行妨。是以圣人之治也，为腹而不为目。故去彼取此。"用今天的话说，沉溺美色则见不到真美；沉溺于五音则耳聋；沉溺于五味则伤其口；沉溺于田猎则使心发狂；沉溺于难得之货则妨碍人走正道。圣人不以物役己，而是顺性而养，不伤自然。为了防止役于物，沉溺于感官快乐而失去本性，老子认为要闭目塞听，"塞其兑，闭其门，终身不勤"，无物欲，不从物欲，则安逸其身。

其三，以守静至无为。 无为不是不作为，而是心不要执着，清静自正，"不欲以静，天下将自正"。无为就是顺自然，不要干预他人他物，让万物自化，万物自化则万物并作，老子说："我无为，而民自化；我好静，而民自正；我无事，而民自富；我无欲，而民自朴。"做到无事无欲，以静处之，顺应自然则社会安定，天下太平。无为就要求人的心能静下来，保持心的虚空清静。老子认为事物的变化是由静开始的,由静可以知其变,守静就是归根,就是复归物之始,复性命之常。虚静则无,无所不包,无所不通,无所不为。只有心灵虚静,才懂得事物幻化的成理,即把握"道",获得有智慧的人生。"清静为天下正"。因此,要有所作为必须清静其心,"为学者日益,为道者日损,损之又损之,以至于无为,无为则无不为"。为道之人当回归虚静的心灵。

既然清静其心,便要为而不争,为而不居。不与争所见,则明于秋毫;不与争是非,则察于是非;不与人争功名,则承认其功劳;不自我夸耀,则显示出自己的才能。相反,计较个人名利,处处与人攀比、事事不让人,则会失去自然的本性,落得一无所获。

其四,贵柔至其生。老子看来,婴儿乃生命之柔弱,也正是因为柔弱才有生命力,至死时身体变得僵硬,也正是因为坚强才会死。老子说:"柔弱者生之徒,坚强者死之徒",又说"物壮则老,是谓不道,不道早已"。就是说事物壮盛时就会走向衰老、死亡。所以守柔者必胜,坚强者必亡。

何以用柔?柔是初始、弱小、卑下,因为是初所以要长,因为是小所以会大,因为是下所以会高,用其初则能长,用其小则能大,用其下则能高。初而老成何以长?小而自大之何以大?下而自高何以高?用柔之一就是对人以柔弱立场处之,修卑下之德,如居上者以谦虚处之,虚则容,下则承上,能承载一切,包容一切,自然能长存。二是柔顺。不仅善其善者,信其信者,而且善其不善者,信其不信者,以宽柔之心对待一切。实际上对不善者、不信者严刑相加则可能殃及自身。三是不持盈。盈为满,表现为居功自傲,富贵而骄。持盈自满必招人怨恨,招人怨恨则不能长久。"金玉满堂,莫之能守。富贵而骄,其遗其咎。功遂身退,天之道。"

2.与物相齐　全性保真

自然原初就是混一，没有分别，顺应自然就要超越善恶、人我、物我。老子认为没有美丑、善恶之分才是自然状态。庄子也是强调顺应自然，达到与自然同一的境地。人本身是自然的一部分，物我不可分，与物和谐，不存在谁主宰谁。"天地与我并生，万物与我为一"，"物物而不物于物"，"胜物而不伤"。养生之道在于物各有其性而不伤其性，如庖丁解牛。如果我们理解了自己身体的状况，顺而养之，亦可保身全生以尽天年。"缘督以为经，可以保身，可以全生，可以养亲，可以尽年。"

既然事物混一，没有差别，那么养心就是要不断体会事物混一的境界。一个人只有体验到无是非、然与不然的区别，万物混沌为"一"时，他就生活在"无竟"之中，即成为得道之人。得道之人无是非区别，无善恶之分，无美丑之异，庄子认为争与让、善行与恶行、美丑是相对的，没有永恒的善，也没有不变的恶。既然事物都是相对的，全相对而归于一，则可得全理全性，而使各种相对性得到伸展。如果执着相对，则难以全，全是绝对的，分是相对的。道无所不在，无所不包，万物各得其分，因而有左、右、竞、争之别，所有这些分别都是相对的，不能只追求相对的区分，而应该将其包容，保持无差别的状态和内心的宁静，并各伸展其性而和谐之，使物物各得其性而不互伤。无论睡还是醒，皆安稳舒适，超乎人间俗事，无是非、人我之别，进入包含一切相对的思想境界。

这种无差别的思想境界包括无己、无功、无名、无情的精神。齐物，无物我之分，便无己，庄子说：至人无己，神人无功，圣人无名，与万物混沌为一，没有人我、物我界限，不需要追求个人功劳、名位，一切顺应自然而听其自然，道无为而无不为。这实际上

广成子

广成子：上古仙人，隐居在崆峒山的石室里。黄帝向他请教养生之道，广成子说："……无视无听，抱神以静，乃可以长生。"

就是完全的幸福状态。"忘乎物,忘乎天,其名为忘己。忘己之人,是之谓入于天。"物我两忘、天人一体,才没有差别,没有时空限制。知道这一切便可以化解情感,所以庄子妻死,不仅不哭,而且鼓盆而歌。庄子知变化之理,所以不哭,"有人之形,无人之情"。

何以达到这种无差别的心理状态?庄子认为要通过心斋、坐忘。

"心斋"即虚静以待物,在庄子看来,万物源于气,有气才有万物,而气是以虚待物,心斋就是极尽虚空以待物。心斋就好象是为事物的到来准备空间,空间准备的越大,容纳的事物也就越多。心斋就是让人心包容万物。心不虚静则难以包容,道本清静无为,无知无欲,所以才能包容一切相对。心存杂念则不知"道",不懂得生命的无限,难以达到绝对的幸福。欲念太多难以守正,因此要虚静以正,断绝干扰,目无所见,耳无所闻,心无所知,以神守形,慎内闭外,则形体自壮,长生不衰。

"坐忘"就是遗忘自己的肢体,抛开自己的聪明,脱离自己的形体,弃绝自己的知识,完全的抛弃自己,完全无我之相对,我则投入无限幸福的绝对之中,我不为物所役,也不为自己形体的欲望所淹没,我没入自然,自然融入我,我与物合一。这就是物我两忘的绝对境界。

3.修性保神　嵇康之论

早期道家理论不仅是身心修养的学说,而且是政治哲学。但汉武帝罢黜百家、独尊儒术后,道家的虚静无为、顺应自然、物不相伤的哲学主张逐渐转向"治身",而成为我国古代养生学的理论。三国时魏人嵇康"好老庄之业,恬静无欲,性好服食,尝采御上药",并著有《养生论》一文,代表了当时养生文化的最高水平。

嵇康认为形依靠神而立，神依靠形以存，要求性命双修，"君子知形恃神以立，神须形以存。……故修性以保神，安心以全身。……又呼吸吐纳，服食养身，使形神相亲，表里俱济也。"养身与养性相辅相成，养性安心可以保神全身。

何谓养性安心？嵇康认为养性就是养自然之性，所谓自然即是混沌的无限状态，物不役于物，物于物不相伤，各得其性，各得其理，万物竞长。无为的和谐状态就是自然状态，好静和谐就是自然之性，人与人之间也是好静顺性，互不相伤，"崇简易之教，御无为之治，君静于上，臣顺于下，……群生安逸，自求多福。默然从道，怀忠抱义，而不觉其所以然。"君臣百姓各顺自然之性，好静无为，各展其性。各顺自然而展现自然，所以得欢乐，为神仙。能任自然之性，以从欲为欢者则是"圣人"、"真人"。

成为真人就不为物欲情绪所累。嵇康批评向秀以纵欲为欢，讲究物质享受，是玩物丧志，役身以物。这种追求物质享乐而为物欲所主宰则丧失了人的真性，难以达到养生目的。因为内心不能割舍荣辱、欲望，患得患失，加之被外在的事物引诱，心理冲突加剧，何以有安定的心态？他认为只有将物欲抛到九霄云外，不追逐物欲，使欲望适当，情绪平和，身体和谐，保持精神的独立与自由，即使滋味在口边，声色打动了心扉，也会以理调之，从其欲而不纵其欲，这样才能得其欲，展其性，遂其生。

成为真人就不为精神所束缚。嵇康否定礼教、纲常伦理、功名利禄，提出"越名教而任自然"的主张。委身"仁义"不可延年益寿，仁义干扰了人的朴素心理，开启了利禄之门，教人四体不勤、好逸恶劳，让人积学以求仕进，用巧智以营生。嵇康要求任性反对智用，性是自然的欲望，只要适当即可；智用是因认识而引

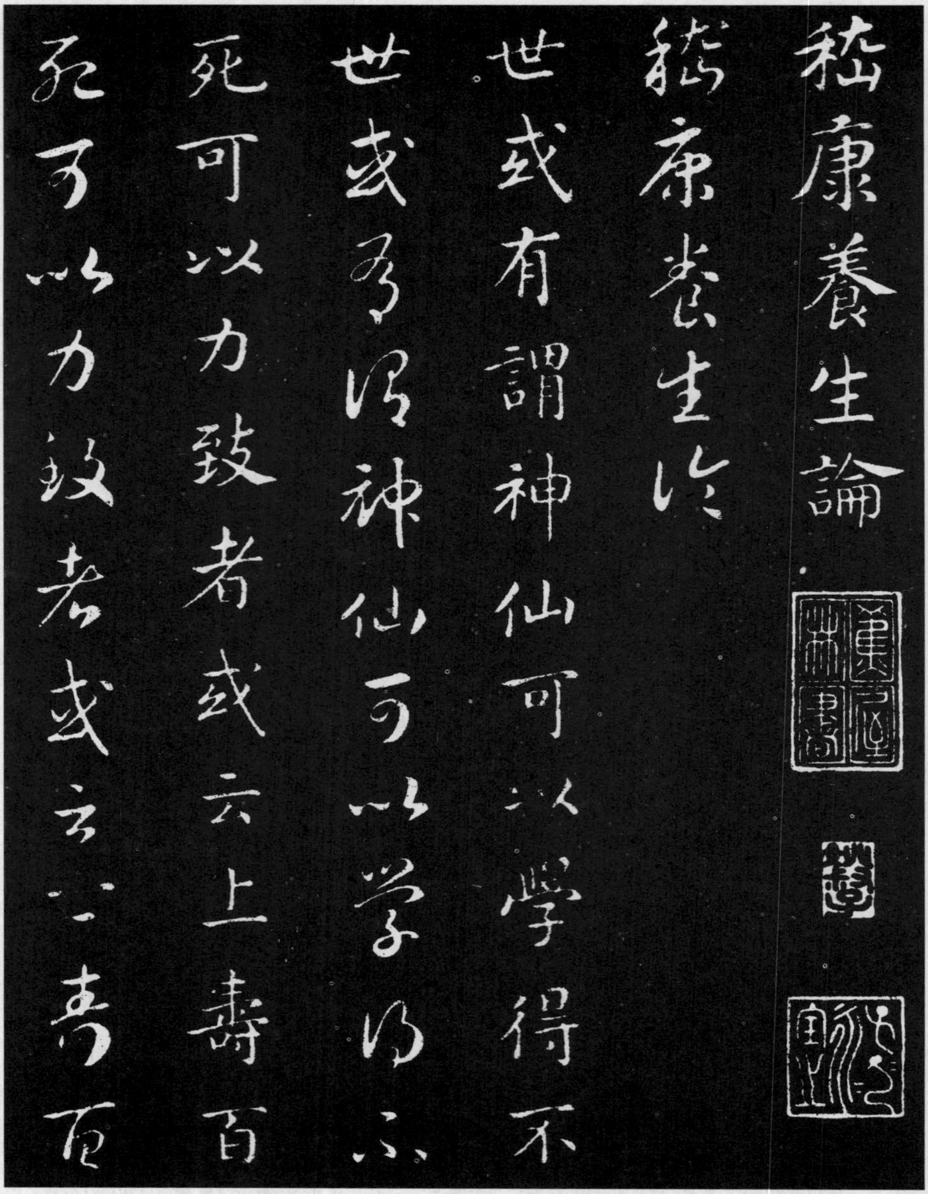

嵇康養生論 ·

嵇康撰生以

世或有謂神仙可以學得不

世或多沒神仙可以學由不

死可以力致者或云上壽百

死可以力致者或云二壽百

起的情感变化,难以排遣,"故世之所患,祸之所由,常在于智用,不在于性动。"

成为真人就要否定外在的圣人。精神独立在于自我,不在于外在偶像,嵇康否定尧、舜、周、孔等儒家圣人,他认为,圣人的害处就在于成为人们仰慕的对象,他们的行为成为人们的规范,有的以威武,有的以修身,有的以教徒,人们以他们为楷模,追求功名利禄,就会丧失自己的真性真心。

何以养性安心?只有做到不为物欲情绪所牵引,不为虚伪的礼教所束缚,摧毁在心中的圣人偶像,就能做到养性安心。其一,克服"五难"。嵇康在《答难养生论》中指出养生有五难,即"名利不灭,此一难也;喜怒不除,此二难也;声色不去,此三难也;滋味不绝,此四难也;神虑转发,此五难也"。不去名利之心,则心为名利所诱;不除喜怒,心必有所感则难尽性;声色、滋味不除,则为嗜好所累;神虑不能虚静,则心不能安静。五者不除,难以长生。其二,清虚静泰、少私寡欲。养生就要保持虚静的心理状态,清虚静泰则神安,少私寡欲则保身,不要因为追求名位而伤德,不要贪图滋味,不要为外在事物所牵引,"善养生者……清虚静泰,少私寡欲。知名位之伤德,故忽而不营,非欲而强禁也;识厚味之害性,故弃而弗顾,非贪而后抑也;外物以累心不存,神气以醇白独著。旷然无忧患,寂然无思虑,又守之以一,养之以和,和理日济,同乎大顺"。不营名位,不求美味,顺应德性,则神与形相合,神归于本,则心安。

4.守一存真　修道成仙

晋人葛洪将道家思想引向了求仙的道教,追求长生不死、得道成仙。在他看来,道家使人精神专一,但徒诵其经,与求神仙相去万里。葛洪教人抱朴守一，修道成仙。他认为成仙的关键在于心志，心志守一，顺应自然则可长生。他说："夫求长生，修至道，诀在于志，不在于富贵也。"为什么在心志而不在富贵？"学仙之法，欲得恬愉淡泊，涤除嗜欲，内视反听，尸居无心"，"仙法欲静寂无为，忘其形骸"。也就是说，如果不淡泊心志，清心寡欲，绝其视听，忘其形骸，就不能得道成仙。

其一，守雌抱一。老子说，一生二，二生三，三生万物。道家所谓守一，实际上要回到事物原初的状态，即"雌柔"状态，"一"的状态，也就是一切皆无的状态。葛洪认为"守雌抱一"之法就是遏止欲视之目，杜绝思音之耳，使人远离声色，内除贪欢之邪情，外无得失之荣辱，割舍一切欲念，静默无思，然后内视寂然，得天全理。

其二，积德立功。以无我为德，有德于人，可以为仙。葛洪认为"欲求长生者，必欲积善立功，慈心于物，恕己及人，仁逮昆虫，乐人之吉，悯人之苦，赒人之急，救人之穷，手不伤生，口不劝祸，见人之得如己之得，见人之失如己之失，不自贵，不自誉，不嫉妒胜己，不佞谄阴贼，如此乃为有德，受福于天，所做必成，求仙可冀也。"反过来，"教人为恶，蔽人之善，危人自安，佻人自功，坏人佳事，夺人所爱，离人骨肉，辱人求胜，取人长钱……""凡有一事，辄是一罪……算尽则死"。为自己机关算尽，最终只有死路一条。

在这里要指出，葛洪所谓求仙之道是完全个人的事，抛开了个人的一切社会关系，乃至自己的形骸，虽然他强调乐善好助，只是自然之心的流露，并非人与人之间的责任与义务。葛洪暗示有重责之人不可学仙道，因为为责任是累。他说："帝王任天下之重责，治鞅掌之政务，思劳于万机"，不能掩其聪明去修道。所以

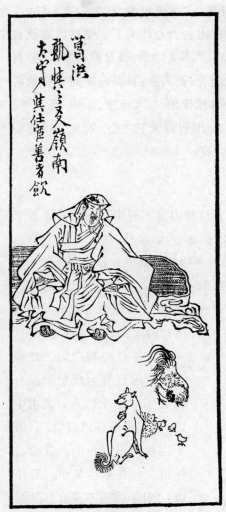

居其位而不负其责，而醉于修道，是私心之用，不可能得道成仙。居其位而负其责，为天地立心，为万世开太平，为往圣继绝学，实际上就是圣人。不过这是儒家的路线。儒家立其心，用其心，不在自己，而在天下。

二、超越自我 儒家之教

"率性之谓道"，儒家养德是从人与人之间的自然之情出发，并扩展这种情感，通过扩充自我达到养心的目的，其路线为诚心、正意、修身、齐家、治国、平天下，亦即自我要由己身扩展到天下心。自我越扩大则心养愈厚。在儒家看来，孝悌为人的情

葛洪，晋朝句容人，喜神仙导引的法术。到广东（岭南），广州刺史邓嶽挽留，乃往罗浮山炼丹，丹成成仙。

感的基础,由孝悌之心扩展开来。"孝弟也者,其为仁之本与!"也就是由孝悌之仁心自然推广出去,心怀天下,便可以成就自我,成为圣人。明代的王守仁说:"圣人之学,惟是致良知而已。自然而致之,圣人也;勉力而致之者,贤人也;自蔽自昧而不肯致之者,愚不肖也。"将仁爱之心自然推出,扩大至家、至国、至天下,超越在我之心而成就大我之心,即包容天下之心。有此心可谓心安理得。儒家养德包括以下内容:

1.立志以帅气

有志向才有精神力量,有精神力量才有生命的气势,孟子说:"夫志,气之帅也;气,体之充也。夫志至焉,气次焉。"只有志于道义,才有浩然之气。因此培养精神力量以立志为先。孔子要求弟子"志于道",并说"朝闻道,夕死可矣"。道义与生死并重,人生来要为道义而奋斗,这种远大的抱负和理想是推动人前进的精神力量。有了这种理想,一个人不仅心胸广阔,精神充沛,而且有为理想而献身的勇气,"志士仁人,无求生以害仁,有杀身以成仁"。有了这种理想,一个人就会心怀道义,并乐在其中。孔子说:"君子谋道不谋食","君子忧道不忧贫",君子心中充满的不是个人的吃喝、富贵贫贱,而是道义的实现。也正因为这样,志士仁人即使在

孟子像

贫贱中也因对道义充满希望而乐在其中。他称赞颜回，"一箪食，一瓢饮，在陋巷，人不堪其忧，回也不改其乐，贤哉回也"。颜回粗茶淡饭，居陋室，却乐于道义，乐于生活，何其贤明！孔子自己亦是安贫乐道，以道义为重，"饭疏食饮水，曲肱而枕之，乐亦在其中矣。不义而富且贵，于我如浮云"。

　　事实上，树立了宏伟目标，以天下为己任，一个人就能焕发出强劲的活力，展现出新的精神面貌。所以树立理想、坚持理想是保持精神活力的支柱。从养生的角度看，只有树立理想，以道义之心为己心，乐以天下，忧以天下，人才算安心，才有心的宽广与安宁。儒家把立志作为成人的首要问题是有道理的。孔子以后，儒士无不强调立志、持志。孟子认为一个人最重要的问题就是立志，要求志于仁义。养心就是使仁义成为心的主导，不论贫贱与富贵都能保持仁义之心，做到"富贵不能淫，贫贱不能移，威武不能屈"。孟子认为养心，要重在心志之养，不要沉溺饮食而失心志。"饮食之人，则人贱之矣，为其养小以失大也"。饮食为小，心志为大，精神之养重于身体之养，有人问孟子，礼与食哪个重，孟子回答"礼重"。心志之养就是仁义，他说："何必曰利?亦有仁义而已矣"。

　　宋明儒继承了以立志培养精神的传统，认为要成人先得立志，立了志才有一颗做人的心。朱熹要求人从小立大志，"今之朋友，固有乐闻圣贤之学，而终不能去世俗之陋者，无他，只是志不立尔。学者大要立志，才学便是要做圣人是也。"陆九渊强调人要自立，树立正大的理想，"学者须先立志"，立志即是立心，明心见性，则可成为圣贤君子，堂堂正正的大丈夫。立了志，明了心，就有了主宰，立了精神。王阳明也说要做圣人首先要立志，"求为圣人之心"只有我们以圣人之心为心，无私欲，自然可以超凡脱俗，如果无圣人之心，就会陷入庸俗。

2.求诸己以容人

立志是让仁义充满心灵，要仁义安于内心，必须虚己以待之，求责于己，扩充自我。孔子说："君子求诸己，小人求诸人。"也就是不要从自我之外找原因，从自我开始。反省自己就是用道德标准衡量自己，"非礼勿视，非礼勿听，非礼勿言，非礼勿动"，也就是让自己的言谈举止合乎礼节。孟子进一步要求检讨自己的各种行为，"爱人不亲反其仁，治人不治反其智，礼人不答反其敬。行有不得皆反求诸己"。儒家不是退身求存的哲学，是要人进取，而进取无非是实现人与人之间的和谐。只有人之间关系和谐才可以保持心灵的安宁，如果人人都有责己之心，人与人之间就没有怨恨，即使对方有怨恨，也为你的责己之心所感动而表现出善意。所以求诸己不仅可以反省自己，改善自己，而且能换来他人的诚意，使人与人之间关系平和。而平和的人际关系恰好是人身心健康的条件。

3.居敬以清心

心静才专一，而心静不下来在于杂念干扰。养心就得使心清静，剔除心中的杂念。清心的工夫是恭敬的工夫，做到四体恭敬。宋代的程颐就说涵养德性需要敬，那么怎样才是"敬"？主要从思想上、行为上收敛自己，使身心合乎道义。只有我们检束自己的思想和行为，使心超越私欲，归于道心、公理，我们就获得了真正的自我。程颐说："所谓敬者，主一之谓敬。所谓一者，无适之谓一。"心有主宰，心能专一而不松懈自己，从而涵养道德，提升道德境界。

朱熹像

朱熹也说养心须主敬，"敬字工夫，乃圣门第一义，彻头彻尾，不可顷刻间断。"一个人只有严肃自己，恭敬行事，才能涵养本原。在朱熹看来，敬即收敛其心，整肃其行，不胡思乱想，无妄动。

何以居敬？

第一，内外检束。即做到"内无妄思，外无妄动"。内心无妄思，念念存天理灭人欲。朱熹说"守口如瓶，防意如城"，时刻提防天理为人欲所掩盖，天理即是人伦之理。敬就是整肃容貌、服饰、态度、行为，容貌端正，言语沉稳，衣着端庄，行事谨慎，坐如尸，立如齐，头容直，目容端，足容重，手容恭，口容止，气容肃，动容貌，整思虑，正衣冠，尊瞻视，步伐凝重，不多言，出门为宾，承事如祭，战战兢兢。如果不整肃衣冠，端正言行举止，就会妨碍德性的修养。

第二，一以贯之。敬是一个过程，与生命相始终。心存天理，除却私心是终身之事，不可有须臾的间断。朱熹说："一念不存也是间断，一事有差也是间断。"所以涵养仁爱之心，恢复人性中的仁、义、礼、智、信，不能有一事一念之差，应该事事存天理，时时存天理，他说："持养之说，言之则一言尽，行之则终身不穷。"恭敬之心当一以贯之，只有坚持不懈才能有成效。

第三，从容自然。居敬是自然而然的事，不用做作，不要矜持,把恭敬当作特别的事而一心守之,则表现不自然。"敬"是保持清醒的头脑,从容为之。为了敬而敬则害于养性。

第四,静处体悟。静思见性是儒家提倡的修养方法。儒家看来,人的性是相近的,由于人与环境的相互作用,所以习性相远。孟子说"万物皆备于我",心性本于我心,可是许多人丧失了原本的道心、圣人之心。所以养心就是"尽心",回归原本的心。何以回归到圣人之心?这就要正其心,知其性。当知其性而诚之,则为圣人。养性就是要人静坐、内省以求于内,求于本,舍内求外,舍本逐末,都不是为学之道。程颐说:"学也者,使人求于内也。不求于内而求于外,非圣人之学也。"明代的王守仁也提出静坐澄心的修养方法,由静坐达到心明。他说:"学者却须先有个明的功夫,学者惟患此心之未能明,不患事变之不能尽。"静坐体悟就是明的功夫。当然一味静处是不行的,这样会使人成为"沉空守寂"的"痴呆汉",因此他认为必须把静坐体悟与事上磨练相结合,在磨练中明心见性,一味好静,看起来是收敛自己,实际上是放纵自己。

4.去心蔽以存养

在人与环境相互作用的过程中,人往往为外界的事物所引诱,本心为物欲、私欲所蔽,所以要存养本心,剥落物欲、私欲。宋代的陆九渊要求"自存本心",保存"吾心之良"、"去吾心之害"。蔽人之本心的,一为私欲,二为"意见"。他认为"愚不肖者之蔽在于物欲,贤者智者之蔽在于意见",不除物欲、意见,则心不得其正。首先要去人欲、革除物欲,而其要在寡欲。陆九渊认为损害人心的是欲望,私欲多,则本心就少;私欲少,则本心就多,所以寡欲则心存,他说:"养心莫善于寡欲。"王守仁要求拔本塞源以达圣人之心，即正其心之不正，以公理胜私欲。

儒家重视人与人之间的关系，人的完成就是人与人之间关系的完成，也就是说一个人能让人心悦诚服，人与人关系和谐，他就完成了自己的人格。所以儒家的养心对自己是本心的复归，对他人是心悦诚服，如孔子所说："远者来，近者悦"，"老者安之，朋友信之，少者怀之"，"一人克己复礼，天下归仁焉"。儒家的养心很大程度上考虑人与人之间的关系，通过人与人之间的关系完成养心，成就自我人格。陆九渊认为人复归本心，剥落物欲、意见之蔽必须借助师友的琢磨。

5.致知穷理以心明

与道家绝仁弃智不同，儒家主张致知穷理，学而致之，也就是自我的超越可以学而得之。学习知识，明白事理是养德的重要办法。穷理就是懂得仁义礼智的道理，朱熹说："穷理，如性中有个仁义礼智，其发则恻隐，羞恶，辞让，是非。只是此四者，任是世间万事万物，皆不出此四者之内。"仁义礼智在人心中，理明心即明，仁义礼智明则心明。

致知就是寻求知识，由小知小明到大知大明，也就是通过读书或其他方式体察到心中固有的道理。朱熹说："致知，如读书而求其义，处事而求其当，接物，存心，察其是非邪正皆是也。"读书知义理，处事知适当，从而知道应该怎样做的道理。懂得了接人待物的道理，心就明白了。

6.动心忍性以全志

能忍才能负重，才能干大事业。儒家特别强调心的承载力量，孔子说："小不忍则乱大谋。"孟子说："天将降大任于是人也,必先苦其心志,劳其筋骨,饿其体肤,空乏其身行,拂乱其所为,所以动心忍性,曾益其所不能。"荀子说:"志忍私,行忍情性,然后能修。"也就是能够克制自己的欲望,忍受各种痛苦,如劳苦、饥饿、屈辱,就能承担大任,实现大公。

"忍"是中国文化的重要特征,能忍则传统养生文化追求的重要内容。

元代许名奎在《劝忍百箴》中提出了一百忍:言之忍,要谨于言,不要妄言;气之忍,不要一时冲动丧失理智;色之忍,不要贪图女色;酒之忍,嗜酒丧身靡乱;声之忍,不听靡靡之音、亡国之音;食之忍,能忍饥饿则成大业;乐之忍,乐极则悲;权之忍,不要招权纳货;势之忍,不要得意忘形;贪之忍,不可因贫丧失气节;富之忍,不可为富不仁;贱之忍,位卑不耻;贵之忍,要居安思危;宠之忍,不要骄奢;辱之忍,受辱勿自悲;安之忍,居安思危;危之忍,临危不惧;忠之忍,以名节为重;孝之忍,对父母要会忍让;仁之忍,诚心求仁;义之忍,大义灭亲;礼之忍,尊重礼义;智之忍,不要过分显露才智;信之忍,言而有信;喜之忍,当喜则喜;怒之忍,不可不计后果;疾之忍,不可信巫不信医;便之忍,有备无患;侮之忍,当卧薪尝胆;谤之忍,不负仁义;誉之忍,是非分明;诟之忍,不可听信谗言;笑之忍,当笑则笑;妒之忍,不要妒忌他人;忽之忍,重视微渐;忤之忍,得饶人处且饶人;仇之忍,恩仇两忘;争之忍,不可争权夺利;欺之忍,不要欺人;淫之忍,当坐怀不乱;惧之忍,心地坦荡无所惧;好之忍,以学为重;恶之忍,爱憎分明;劳之忍,不畏劳苦;苦之忍,苦中求乐;俭之忍,生活当简朴;贪之忍,不可贪得无厌;躁之忍,躁极必败;虐之忍,要宽柔;骄之忍,要谦虚;矜之忍,当谦逊;侈之忍,不可穷奢极欲;勇之忍,当勇于行义;直之忍,直言致祸;急之忍,当镇静;死之忍,堂

百 忍 歌

百忍歌,歌百忍。

忍是大人之气量,忍是君子之根本。

能忍夏不热,能忍冬不冷;

能忍贫亦乐,能忍寿亦永。

贵不忍则倾,富不忍则损;

不忍小事变大事,不忍善事终成恨;

父子不忍失慈孝,兄弟不忍失爱敬;

朋友不忍失义气,夫妇不忍多争竞。

刘伶败了名,只为酒不忍;

陈灵灭了国,只为色不忍;

项羽送了命,只为气不忍。

如今犯罪人,都是不知忍;

古来创业人,谁个不是忍。

百忍歌,歌百忍。

仁者忍人所难忍,智者忍人所不忍;

思前想后忍之方,装聋作哑忍之准;

忍字可以走天下,忍字可以结邻近。

忍得淡泊可养神,忍得饥寒可立品;

忍得勤苦有余积,忍得荒淫无疾病;

忍得骨肉存人伦,忍得口腹全性命;

忍得语言免是非,忍得争斗消仇憾;

忍得人骂不回口,他的恶口自安靖;

一团和气

忍得人打不回手,他的毒手自没劲。

须知忍让真君子,莫说忍让是愚蠢;

忍时人只笑痴呆,忍过人自知修省。

就是人笑也要忍,莫听人言便不忍;

世间愚人笑的忍,上天神明重的忍。

我若不是固要忍,人家不是更要忍。

事来之时最要忍,事过之后又要忍。

人生不怕百个忍,人生只怕一不忍,

不忍百福皆雪消,一忍万祸皆灰烬。

堂正正为人；生之忍，当行真理；满之忍，满招损，谦受益；快之忍，不可寻一时快乐；取之忍，不贪意外之财；与之忍，不要过分给予；乞之忍，当以操守为重；求之忍，助人为乐；失之忍，不计小过；利害之忍，不为名利所累；顽嚣之忍，多行仁义；不平之忍，当淡泊处之；不满之忍，顺其自然；听谗之忍，兼听则明；无益之忍，不可玩物丧志；苛察之忍，水清则无鱼；屠杀之忍，不要杀生；祸福之忍，福祸相倚；苟禄之忍，不要逐利忘义；躁进之忍，不要一步青云；特立之忍，不要折腰于权贵；勇退之忍，功成则退；挫折之忍，能屈能伸；不遇之忍，当等待时机；才技之忍，不要自卖自夸；小节之忍，不要因小失大；随时之忍，当审时度势；背义之忍，大义凛然；事君之忍，尽责尽职；事师之忍，待师恭敬；同寅之忍，勿当面奉承，勿背后议论；为士之忍，当修身养性；为农之忍，珍惜劳动；为工之忍，不要保守技术；为商之忍，讲究道德；父子之忍，各守其道；兄弟之忍，讲究手足之情；夫妇之忍，相互合作；宾主之忍，一视同仁；奴婢之忍，宽以待仆；交友之忍，真情知心；年少之忍，不要虚掷年华；将帅之忍，身先士卒；宰相之忍，能容人；好学之忍，苦学勤练。

三、明心见性　佛家养心

　　佛教从汉明帝时传入我国，并同中国固有的文化相互融合、相互吸收。中国化的佛教是中国传统文化的重要组成部分。文化与人生相联，人生是文化的体现。佛教作为一种文化与修性养生相联，佛教主要是解决人生问题，目的在于广度众人，利益人群，使众生获得正受，求得心的安宁。对个人来说，就要明心见性，认识原本的心,保守原本的心,使心处于"常、乐、我、净"的状态,常即永恒的美好,乐即永恒的纯洁,我即永恒的自觉,净即永恒的安详。

什么是心?只有明心才能安定其心,只有明心才能修心。心就是本来,佛即是如来,如来就是如其本来,本来就是原本真实、自觉的心,是生命的共相。

其一,心是正受。正受就是正确的感受。正受就是没有忧虑、没有恐惧、没有私欲、没有烦恼、没有矛盾,离开一切执着,调和一切相对而达到绝对统一的心灵状态。这种心灵状态就是安详的心,亦即是真实的心,原本的心,心就是无。惠能说,"身是菩提树,心是明镜台;本来无一物,何处惹尘埃。"心透明无一物,只有当我们没有私欲的时候,我们就安顿好了自己的心。据说二祖见初祖,说:"我心未安,乞师与安。"初祖说:"拿心来,我替你安。"二祖迟疑了一下说:"我的心根本就找不到。"初祖说:"如果是这样,我已经替你把心安顿好了。"不觉其心时就安了心,也就得到了佛法,见到了事物的全体。也只有这样,人才有安详的感受,才感受到生命的真正快乐,也才能享受生活。

心安、正受是佛教养心的根本目的,心安才得佛性,获得真心、本心。而获得本心需要提高自己的认识。佛教认为只有正确的真实的见解才能导致真正的感受,即"正见"得其"正受"。佛教认为人之所以失去本心、真心、佛性,就是被虚假的心所掩盖、引诱,使自己失去了主宰。为了找回失去的本心,就要修心,认识自己的心,追求真理,寻找人生痛苦与快乐的根源,找到消灭痛苦的办法和获得幸福的途径。

其二,心是无。禅如《六祖坛经》所言,是"无念、无相、无住"。无念,就是心离好坏、取舍、憎爱,包括一切尘世的欲念,舍弃这些才获得"正见"。无相,指否定一切事相,心不为外在的事物牵引,心是独立的。无住,是心不停留在任何地方,不执着,念起即觉,觉之即忘,活泼不染,变动不居。据说有一对大小和尚出行,被一条小河挡住了去路。大小和尚准备挽起裤子过河。这时一位年轻貌美的女子央求和尚帮她过河,大和尚就把她背过了河。过河后走了很长一段路,小和尚问:和尚不近女色,你今天怎么背了这个女子?大和尚答道:我已经放下了,而你还在身上。这个故事说明心是活泼不染,即起即觉,即觉即忘,心永远在运动。

其三,心就是空。心是空旷、洁净的世界,如《般若波罗蜜心经》所言。由于一切苦厄来自物蔽、情蔽、念蔽,去掉这一切而空之,没有六根界,即无眼界、无耳界、无鼻界、无舌界、无身界、无意界;没有六尘界,即无色界、无声界、无香界、无味界、无触界、无法界;没有六识界,即无眼识界、无耳识界、无鼻识界、无舌识界、无身识界、无意识界。总之世间皆空。正是空才有色,只有心的空旷,才会有满目春色,所以"色不异空,空不异色;色即是空,空即是色"。知空才无所求,无所念,才能舍;知空不异色,才广作布施,化度众生认识了心,就要去修心,保守其心。

1.参禅悟性　守本真心

禅就是自己,参禅就是找回真正的自己,完成自我生命的觉醒。参禅就是体察自己的心,反省自己的心,保持清醒的头脑,保持警觉,守住真如,即真实的心。

第一,明心见性、直指本心。佛性在我,不在人,不能离开自己寻求佛性。洞山大师走到水边看到自己的影子,便大彻大悟:"向外觅菩萨,总是痴心汉",又说:"贪着天边月,失却手中珠。"除却眼耳鼻舌身意,无色声香味触法,只有我"独自"前

達摩真性頌

往,这个无相无私无为的人就是我,我已不是过去相对的、分别的自我。这样体会方感亲切,熟悉。参禅就是做到明心见性,直指本心。

达摩面壁九年,创立了"二入四行"禅法。"二入"即"理入"和"行入",这就是禅宗的理论与实践两部分。"四行"即报怨行、随缘行、无所求行和称法行。此法主要是在佛法的启发下,去掉真实的本性所蒙受的业障,也就是不正确的感受和认识,除却认识上的一切相对、差别,就进入寂然清净的世界。

五祖之后,禅宗分南北两宗,惠能创南宗,"以无念为宗,无相为体,无住为本",提倡不立文字,不拘形式,直指心性的顿悟禅法。惠能解释此种坐禅之法,"此门坐禅,元不著心,亦不著静,亦不是不动。若言著心,心元是妄,知心如幻故,无所著也。若言著净,人心本净,由妄念故,盖覆真如。但无妄想,性自清净。"就是说坐禅,既不关照心,也不关照清净,也不要求静坐不动。如果关照心,心原是虚妄的,既然心是虚妄的,就没有必要关照它。人心本来是清净的,因为妄想邪念才掩盖了真实的本心。只要没有妄想、邪念,自我的本性自然清净。惠能认为自己的心不受束缚,自由自在,自心不为外界事物所左右,即是"坐";在内认识到本性不动,就是"禅"。"禅定"就是"外离相为禅,内不乱为定。"亦即心不为物诱,保持内心宁静。

这种坐禅方法就是把一切生活活动作为坐禅活动,只要在一切行动中不为外相所引诱,内心保持平静,就是"禅定",在任何地方,不管是行住,还是坐卧,都保持一种没有是非、对一切事物和现象都不作区别的心理状态。保持这种心态就能修性养生,除病健身。

第二,制心一处、常惺惺然。佛说:"制心一处,事无不办。"

即全身心投入，就能出现生命奇迹，迸出智慧的火花。佛法虽讲"情生智"，但认为只有通过认识活动才能达到自我解脱，只有大智慧才有大慈悲。智力的投入，就会生情，出现新的力量，使人拥有强大的动力。《十六观经》就是要人全神贯注于一件事物、一个景象。

除了制心一处，集中力量完成自我解脱，还要保持头脑清醒和警觉。《指月录》载师彦和尚自语："主人公！惺惺着！他时后日，莫受人谩。"就是要人自己给自己做主，保持清醒，以免受人愚弄。

第三，牢记要诀、自觉自在。佛性在我，自觉在我。"天上天下，唯我独尊。自观自在，守本真心。"这四句话是修心要诀。佛一出生，就周行七步，一手指天，一手指地，说："天上天下，唯我独尊。"对这句话的解释，云门大师说："我要在场，一棒子打死喂狗。"有人认为这不是佛门弟子所说的话，而理解佛法的人认为云门才懂得报恩。因为人人有佛性，每个人原本的自我是独尊的，如果不打死他，被他牵引，怎样实现独尊？北宋克文禅师说，自性本来作佛，"自悟自成佛，自建立一切禅道。"如果修性能达到不与任何事物牵连，不与任何东西同在的境界，就会"独"，也就会"尊"。"自观自在"即是自己观察自己，反省自己，我自觉则我自在。"守本真心"，也就是知道自己的真心后，就要保守它，不再外求。

2.能舍好施 进德修道

佛教要人除悭贪、懈怠、瞋恨等恶，以及断恶念、愚疵，学佛就要广作布施，进德修道，奉行"五戒"、"十善"以净化自己，修养"四摄"、"六度"以利人群。

所谓"五戒",即是不杀生、不偷盗、不邪淫、不妄语、不饮酒。所谓"十善",即是不杀生、不偷盗、不邪淫、不妄语、不两舌、不恶口、不绮语、不贪欲、不瞋恚、不邪见。这"五戒"、"十善"就是要我们不做任何坏事,恶事。能做到这些,遏止恶行恶念,就能净化自己的心灵,安顿原本的真心。

所谓"四摄",即布施摄、爱语摄、利行摄、同事摄。也就是施众生所乐,乐财则施财,乐佛法则施佛法;众生性本善,应多加劝导;做有利于众生的一切事情;要亲近众生,与他们同甘共苦。总之,要感化众生,使之生亲爱之心而归于佛门。所谓"六度",即布施度、持戒度、忍辱度、精进度、禅定度、智慧度。布施度以除悭贪、贫穷,持戒度以治恶业,使身心清净;忍辱度以治瞋恚,使心安定;精进度以治懈怠,使善性不断生长,禅定度以治乱意,使人心安定;智慧度以治愚疵,开启真正的智慧,把握人生的真谛。这"四摄"、"六度"是教人为天下人谋利益,做一切善事。

"四摄"、"六度"实际上包括两个方面,一方面是修炼自己,成就自己,一方面奉献自己,利益人群。

首先,要了解人生的意义,修养德性。佛法就是让理解人生

神火化形空色相 心印悬空月影净

性光返照复元真 筏舟到岸日光融

面壁图

的真正意义,空己,洁净自己,成为自觉、觉他、觉行圆满的人,最终达到"自利利他"的目的。学佛就要修养道德,使自己心灵空旷。唐代高僧无际大师有一首《心药方》教人修德性,其云:"凡欲齐家、治国、学道、修身,先须服我十味妙药,方可成就。何名十味?好肚肠一条,慈悲心一片,温柔半两,道理三分,信行要紧,中直一块,孝顺十分,老实一个,阴骘全用,方便不拘多少。"

其次,要能舍好施。常人拜佛都是求财、求福、求平安、求健康等等,都不是舍,而是为了求得。佛教则只舍不求获得什么。能舍,大舍大得,小舍小得。能舍才是安定自己的道路。释迦牟尼舍江山、舍权势、舍娇妻爱子、舍锦衣玉食,舍弃一切才能成佛。如果我们放不下名利、肉体之欢、男女之情,就不可能得到清醒、解脱。舍得彻底,才能安身立命。宗门禅师有句话说:"悬崖撒手,自肯承当,绝后复苏,欺君不得。"在悬崖绝处将一切撒手,然后自己承当,承当的就是真正的我,即是宇宙,此时才感受到一个

身外有身名佛祖　千叶莲花由乐化

念灵无念即菩提　百光景耀假神凝

佛坐禅图

新的生命呈现,才体会到人生的真谛。掌握了人生的真谛,其他一切无法欺骗你。此可谓绝处逢生,换了一人。

不计所得,将自己一切舍弃,舍弃财产乃至生命,实际上将自己奉献给宇宙与人世间。正因为这样,我们要将自己的一切布施于人,付出自己的爱、付出自己的智慧、付出自己的财产,以此感动众生,使众生乐于奉献,最终使人世间成为真正的天堂。

四、修德和情　医家之法

古代医家认为养德、养生没有多少区别,如《医先》提出"养德、养生无二术"。《遵生八笺》指出:"君子心悟躬行,则养德、养生兼得之矣。"所以养生要修德以安定其心,心安则神爽,身体自然健康。反之不修人道,就会损伤元气,折损寿命。清人石成金也说:"凡人存仁厚,则寿命定然延长,若或刻薄,则自促其年矣。"古代还认为不良情绪是病因,所以喜怒不除、情绪不平也难

有法无功勤照彻　十月道驱火

忘形顾里助真灵　一年沐浴温

佛坐禅图

以养生。因此,古代医家养心主要在两个方面,一方面要修德性,另一方面要调节情绪,使心情平稳、舒畅。

1.修德性

养心养性实际上就是道德修养,亦即树立崇高理想、陶冶性情、丰富精神生活。我国儒、道两家都把道德修养作为养生的首要内容,把道德修养作为长寿的必要条件,心胸开阔,虚己待人,乐善好施,自然心神安定,精神愉快,气血和顺。医家也认为只有修道德才能邪气不侵,百病不生。我国古代医家普遍认为养生先养德。《内经》说:"嗜欲不能劳其目,淫邪不能惑其心,愚智贤不肖不惧于物,故合于道,所以能年皆度百岁,而动作不衰,以其全德不危也。"意思是说不为嗜欲所劳意思是说能全其德性,不为嗜欲所劳,不为淫邪所惑,就可以活到百岁而动作灵活。孙思邈在《千金要方》中说:"夫养性者,所以习以成性,性自为善。……性既自善,内外百病介不悉生,祸乱灾害亦无由作,此养生之大经也。"德性不善就会导致疾病,他还指出:"古养性者,不但饵药餐霞,其在兼于百行。百行周备,虽绝药饵,足以遐年;德行不充,纵服玉液金丹,未能延寿。"明代医家龚廷贤也强调修德可以延年,"孝友无间,礼仪自闲,可以延年;谦和辞让,损己利人,可以延年;救苦度厄,济困扶危,可以延年。"

清代养生家石成金提出了"淑身八字"和"十要歌",均是指人的道德修养。"淑身八字"即伦、德、畏、勤、谦、和、愚、乐等,也就是重人伦、讲道德、有所畏惧、勤恳、谦虚、和蔼、愚拙自守、自得其乐。"十要歌"即人要孝、悌、严、忍、勤、俭、谦、让、愚、笑。

同时也要认识到恶德对身体的伤害。如嫉妒、贪财、敲诈、胡作非为、自私自利、待人粗暴、蛮横无礼、骄傲自满、财迷心窍、背信弃义等恶德会对身体产生不良影响。孙思邈在《千金翼方》中指出："邀名射利,聚毒攻神,内伤骨髓,外伤筋肉",还会造成五劳而伤及内脏,"五劳既用,二脏先损,脏腑俱病。"事实上,恶德会使人精神萎靡不振,导致身体衰退。嫉妒他人的人会出现消化功能减退、郁闷、恶心、头痛、胃痛、神经性呕吐、过敏性结肠炎、心悸、早衰等症状。固执、好强的人易患偏头痛。急躁、忙碌、易怒的人易患心脏病。压抑愤怒、情绪紧张、焦虑的人易患高血压。贪污腐败的人易得癌症、心肌梗塞、脑溢血、过敏症等。

2.和情绪

古代医学认识到不良的情绪变化会伤害人的身心健康。《内经》说:"怵惕思虑则伤神,神伤则恐惧流淫而不止。因悲哀动中者,竭绝而失生。喜乐者,神惮散而不藏。愁忧者,气闭塞而不行。盛怒者,迷惑而不治。恐惧者,神荡惮而不收。"意思是说恐惧思虑会伤神,过度悲痛会威胁生命,忧愁会导致气闭,过分喜乐使神色难以收藏。疾病来自情绪不平和,怒会引起呕血、阳厥、气逆不下、惊厥等;喜会导致为笑不休、毛发焦等;悲会引起阴缩、痉挛、肌痹、血崩、目昏等;恐则骨酸痿厥、面热腹急等;惊会引起目累、痴痫、不省人事等;思会导致不眠、嗜卧、昏瞀等。

喜、怒、忧、思、悲、恐、惊是人的情绪表现,但各种情绪表现不能过分。

其一,节制情绪。过分的情绪表现易导致疾病,所以要节制情绪,使之归于平和。《内经》说人喜怒不节,则阴气上行而致下虚,下虚则阳气走失。

其二,情志相胜疗法。古代有专门用言语暗示治疗疾病的方法,称为祝由之术。"祝由"源于古代巫医,相传黄帝时,祝由治病不用药,只用清水一碗,以手捏剑诀,敕勒书符水面,让病人饮其水治病。实际上,这种治疗是一种心理暗示,由于心理暗示,引起了心理变化,达到治病的目的。当情志引起的疾病,就可以另一种情志治之,恢复人的心理的平衡。这就是情志相胜疗法。《养生导引法》要求情绪问题用情志相胜疗之,"若五志所过,非药可治者,五胜为宜"。

古人将情志与五行对应,《内经》说人有五脏,化为五气,以生喜、怒、思、忧、恐。五脏与五气相对应,肝木之志为怒,心火之志为喜,脾土之志为思,肺金之志为忧,肾水之志为恐,肝胜脾,脾胜肾,肾胜心,心胜肺,肺胜肝,则悲胜怒,恐胜喜,喜胜忧,思胜恐,怒胜思。根据五行相胜原理,可以调节情绪,如过度愤怒则恐惧之,可以息怒;过度思虑,以怒激之;若过度恐惧则以思之;若忧虑则以喜事乐之;若大喜不止则以惊恐疗之。这种相克原理虽然带有神秘色彩,但也有道理,如思胜恐,恐惧某物,往往由于无知,只有平静思考,就知道恐惧是没有理由的;又如忧虑过度,可以以喜冲之,达到一笑百了的作用。

情志相胜的医疗实践在我国历史上一直存在。《列子·力命》载,有个叫季梁的人,病得很厉害,一位姓卢的医生说了一番话,把病因说明,就把病治好了。《吕氏春秋·至忠》也有一个以怒治病的事例。说到齐王有病,到宋国请来了名医文挚。文挚看过病,对太子说需要以怒激之才能治好病。文挚治病的过程就是激怒齐王的过程,先是三次与齐王约好诊治时间,三次失约。后来则不脱鞋就登上齐王的床,踩着齐王的衣服询问病情,而且出言不逊,弄得齐王怒不可遏。盛怒之下,病情却消失了。

明代的《景岳全书》也提到一起病例,是说一位妇女因思念亡母而成疾,多方医治无效,明医韩世良认为病因在"思",当以怒胜之，便让巫婆以其亡母身份怒斥之。这位妇人向巫婆问亡母在阴间的情况，巫婆模仿她母亲的声音斥责她，说我是被你克死，我要在阴间也天天诅咒你，让你的病好不了。妇人听后非常震怒，渐渐地病就好了。

《儒门事亲》也载有名医张戴人以情志相胜原理治病的病例：

一为以喜胜悲而治愈的事例。有个人听说其父被盗贼所杀，乃大悲而哭，哭罢便觉心痛，而且日胜一日，月余便结成杯状之块，大痛不已，药皆无功，只好求医于张戴人。张到时，正碰上巫者狂言乱语，便戏谑病者，于是这个人大笑不忍，反面向壁，一二天心下硬结散去。

二为怒胜思治病的例子。有一富家妇人，伤思过度，两年睡不着觉，无药可疗。其夫求于张戴人。张把其脉，发现两手脉俱缓，认为是脾受病，脾主思，是思虑过度，就与其夫商议，用怒激之。张便多取其财，饮酒数日，不付一文而去。其妇大怒，汗出，当夜酣睡，如此八九日均熟睡，自是进食，脉得其平和。

《续名医累案》亦记载以惊胜喜的病例，有位名叫李大谏的人，世代为农民，考中了举人，其父甚喜，出现多笑的症状。次年，李大谏又高中进士，其父更是大笑不止，历四年不愈。李深为忧虑，请某太医给予治疗。太医遣仆人告之于其父说：你子李大谏罹疾而死。其父闻之甚惊，遂痛哭欲死，如此十日不再大笑。后太医又派仆人告之，你子将死，被赵大夫救活。李父闻后为之一喜，不再悲伤。历四年之多笑不再复发。

大哉至圣文宣王

孔子像

《医方类聚》所开令人长寿的道德药方：

思无邪，行好事；莫欺心，行方便；守本分，莫嫉妒；除狡诈，务诚实；顺天道，知命限。清心、寡欲、忍耐、柔顺、谦和、知足、廉谨、存仁、节俭、处中、戒杀、戒怒、戒暴、戒贪、慎笃、知机、保爱、恬退、守静、阴骘。

第四章　通畅血气

　　在中国养生文化里，气是重要的物质形态，庄子认为因为宇宙的变化产生气，气变成看得见的物质形态，然后有生命，有死亡，如春秋冬夏四时更迭。人也是因有气而有形，"气，体之充也"。气充于体内，周行全身，使经脉畅通，如此，则强劲健骨，长生久视。所以古人非常重视炼气，使体内之气充足，达到坚固形体的目的，古人说："服丹守一，与天相毕，还精胎息，延寿无极。"意思是说只有我们修炼内气，将气固守在体内，就能延年益寿。因此养气之术就是中国传统养生文化的神奇内容。

一、存思守一　以静养气

　　虚静存思是我国古代重要的养气方法，一直为儒、道、释三家所重视。一般是静坐或静卧修炼。静坐在于放松自己，放下一切杂念、思想负担，解除身体束缚，如排除大小便，宽松衣服，使身体充分自由，然后集中意念，使内外气相通，使神、精、气相融。唐代司马承祯在《坐忘论·收心》中说："学道之初，要须安坐，收

修行存想圖

心离境,住无所有,不著一物,自入虚无,心乃合道。"就是说静坐安心,使心不为外界牵引而进入虚静状态,就算得道。

1.存思法

存思是一种养气的功夫,其法是在炼气时闭合双眼或微闭双目,内观、冥想自己的内脏、形体,或内观某一景物,或诵某经典要语,达到排除杂念而进入人气与自然之气融合的静默状态。"存谓存我之神,想谓想我之身。"《云笈七签》的《存思》篇说:"修身济物,要在存思。"存思是将行气与意念相结合,以意念所指,气之所达,达到气贯全身的作用。所以,存思是个综合过程,它不仅仅动意念,而且包括服气、咽津。《太一帝君大丹隐书》存思二十四神法就包括咽气吞津,其法为:于月朔之夕,升气之时,仰卧瞑目,存思二十四星宿,星中各有一人,如新生儿之气,从虚空而下,绕自己身三周,咽入腹中至脐下,共二十四咽,二十四星光照耀腹内,洞彻五脏,二十四神各吐黄气,充满脐中。存思良久,服气,吞津。《云笈七签》的"升斗法"也是包括吞津、食气,其法:夜半入室静坐,瞑目存思,自己腾云飞见北斗,北斗星神坐对面,玉妃吐紫烟入己心中,便咽津,叩齿。存思实际上是将自然之元气、真气吞食,入体内,入五脏,最终体为气充,体为神居。

其一,法为存思内脏。葛洪在《抱朴子·杂应》中说:"思五脏之气从两目出,周身如云雾,肝青气,肺白气,脾黄气,肾黑气,心赤气,五色纷错。"通过意念,以目为通道,将肝气、肺气、脾气、肾气、心气与自然之气相联,使自然之气如五脏。他说,春天面向东,食岁星青气,使入肝;夏天服荧惑赤气,使入心;四季之月食镇星黄气,使入脾;秋天食太白白气,使入肺;冬天服辰星黑气,使入肾。

内视图

《云笈七签》存思五脏法

存思心神：想象心神住在盛开的莲花上，下有童子，披着玉罗，穿着红色的锦衣，远望去像一颗星，坐在紫房帏帐中与我说话。如此存思心神，可以调和阴阳，防治疾病，久之可以返老还童，升天为仙。

存思肝神：将肝神想象为青色神，其室为青翠色，其衣为青色，其童子也为青色。如此闭目存思，则气贯穿五脏六腑，消灾免病。

存思脾神：内观脾神穿着黄锦，系着印有虎的带子，其室里坐着黄衣童子。如此存思脾身，则滋补元气，和百脉，利九窍，润肌肤，养全身，延年寿。

存思肺神：将肺身想象为衣着素锦，住白色华庭，肺为气之本，开窍于鼻，布气九窍，所以存思肺神，可以贯通百关，调和六气，滋润肌肤。

存思肾神：肾气为黑色，属水，所以行气时将其存思为黑衣如云腾，住在水宫，经常这样存思，则可以肾气充盈，百脉贯通，筋骨强健，耳聪目明。

《云笈七签》也说明了存思五脏之法,即在行气时要存思五脏的色、形、气等。

其二,法为存思形体。《太平经》说经常瞑目内观形影,像看清水的影子,就可以积气。人们可以通过瞑目内视自己的形体达到排除杂念的目的。据说西晋术士李方回内视了五十年,得了仙气,"五十年清心内视,仙去。"

存思身体要与自然之物相对应。上清教的《黄庭内景经·上章》要求将养目与存思日月相结合,使日月之明入两目,久之,可以使日月之光与目光融合。上清教认为这样对应存思,可以将体内神与日月星辰等神相合,则人与自然为一体。

普照图

三藏之奥
窍中有妙
妙窍齐观
是为普照

其三,法外气。也就是把外气存想为不同颜色、形状,并进入体内。如存元气法,其法为:瞑目,存思天空中太和元气,为紫云盖,五色分明,下入头顶,自脑入腹,浸润四肢、五脏。内听腹中有汩汩声,元气达于气海,通足心,令身体振动,两脚卷曲。如此为"一通",每日一到五通,则面色润泽,耳聪目明,气力强健,百病不生。

其四,法为存念物景。 通过存思各种物象,如落日、云海、莲花等,如此心得安定,心气平和。

其五,法为存思天理。 天理需要体悟,达到心与理合,佛教就要求观心,儒教要求反求诸己,实际上是以各种道德规范、戒律来观心,安定其神。

其六,法为存思神真、贤人。 贤人、神仙充满正气、神气,存思贤人、神仙以壮自己的血气。一般根据道书中描绘的形象、服饰、处所、童子本领等来存思,也可以按书中的图画存思,如"乘云驾龙图"、"东壁图"、"西壁图"。陶弘景提出"存思明堂法",《太平经》则有"悬象还神法"。

2.守一法

守一法也是一种存思行气法。《太平经》将"守一"作为根本的养生方法。它认为"守一"是自古以来的养生要道,可让人长存而不老,因为人知守一,守己一身,念念不忘,则精神自来,百病自除。还指出人修炼守一法,可以度世,可以消灾,可以事君,可以不死,可以理家,可以事神明,可以不穷困,可以理病,可以长生,可以久视。万物各守一则得其性,人守一则事事和顺。

何谓"守一"? 守一就是守虚静,守得住虚静,才能守住神、气、精,而使形不老。《太平经》说:"一者,心也,意也,志也。念此一,身中之神也。"因为万物从无开始,从虚开始,无无则不会有有,无虚不会有实。

致虚极、守静笃是一个过程,应顺其自然,逐渐精熟,日积月累,持之以恒才能有所成。何以守一?

处清静之室,定心,存思。

二、内丹修炼 羽化登仙

古人求长生、求成仙,兴起炼丹之风,丹可以外炼也可内炼。汉唐时盛行外丹术,即用人体外的原料炼丹;宋以后转向内丹术,即假想人体为炉,以精、气、神为原料,炼成内丹,也就是金丹,其意坚而圆。道家认为"金丹"令人长生,金丹是由人的精、气、神炼就而成,获得金丹等于佛教徒获得了圆觉,儒家得到了太极,能明心见性,羽化登仙。

1.人体为炉

炼内丹是在体内进行,因此首先要立鼎安炉,摆好炼丹的架势。当坐定身体,神气相合后,炼丹者当知炉鼎的构造及其操作。

炉与鼎:头为鼎,腹为炉。心口为鼎,丹田为炉。

丹池:体内有三池,胆为中池,舌下为华池,腹和膀胱为玉池。

丹田:分三丹田,葛洪指出下丹田在"脐下二寸四分",中丹田在"心下绛宫金阙中",上丹田在两眉间"却上三寸"。《云笈七签》所说的中、下丹田与葛洪所支持的位置不同,认为"中丹田者心也,下丹田者脐下一寸二分是也。"今人南怀瑾认为上丹田在两眉之间横通间脑的部位;中丹田在两乳之间横通肺与心脏的部位;下丹田在脐下横通肾脏之间与大小肠的部位。古人认为丹田是生之所,存神、气于丹田则可长生。《道枢·归根篇》说:"人之根本由乎丹田而生者也,能复之则长寿矣。"葛洪认为守三丹田可以"成阴生阳"。三丹田各有所主,唐代的杜光庭认为上丹田主神,中丹田主气,下丹田主精,人能固守丹田则心如太虚而归于初。

任督二脉:任督二脉是精气运行的通道,"督"有总督之意,"任"乃担任。任脉总一身之阴脉,故称"阴脉之海",督脉总一身之阳脉,故成"阳脉之海"。任脉在前,督脉在后,以贯通二脉为目的。张伯端《八脉经》说:"任脉在脐前,督脉在脐后。"任脉在前连接上、中、下丹田,督脉在脊中,二脉起于会阴,任脉从腹中上行,督脉从背后上行,入脑颠,至鼻柱与任脉相通。炼内丹就

现出元关消息路

常教火养长生窟

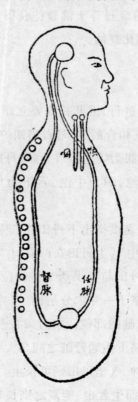

休忘百脉法轮行

检点明珠不死关

任督二脉图

内外二藥圖

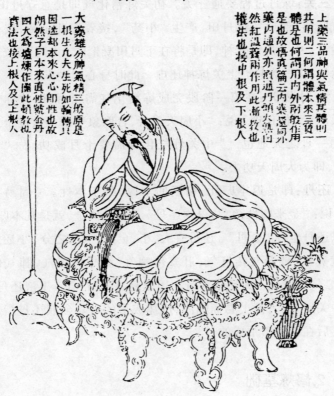

資法也接上根人及上根人
四大為爐煉作圈此頓教也
朗然子曰本來真性號金丹
因迷却本來心即性也故
一根生几夫生死如輪轉只
大藥雖分神氣精三般原是

橛法此接中根及下根人
然紅溫養兩用此漸致也
藥內通外亦須道丹領火熱用
是也故悟真篇云內藥還同外
體是也何謂用內外附般作用
共用則二何謂用內體本來三貫一
上藥三品神與氣精其體則一

要打通此二脉,此二脉通则全身脉通,气流转全身,自然健康长寿。

火候： 炉中有火候,体内也有不同火候。火候指意念动用的程度,修炼内丹要把握不同火候,否则不能成功。文火为阴火,指意念舒缓柔和,以"专气致柔,含光默默,温温不绝,绵绵若存"为要;武火为强火,即是意念猛烈,其要为"奋迅精神,驱除杂念";增强意念为升阳火;意守为封炉;收功为止火。体内还有三昧火,上昧心之君火,中昧肾之臣火,下昧膀胱之民火。

三关:炼丹过程要通三关。初关炼精化气即是意守丹田,使精气旺盛,然后气存丹田,产生"小药",接着炼此小药,按小周天运行。中关炼气化神,即是将在下丹田凝聚的"大药",按大周天运气,化气为神。上关炼神还虚。此时身心圆融虚空。

大、小周天:在第一阶段完成炼精化气需要百日,故称为小周天。《天仙正理》说:"小周天云者,言取象于子、丑、寅十二时如周一日之天地也。"中关炼气化神需要十月成功,称"十月关",即为大周天功夫。

还丹:即是返本归元,精返回本源,归于本性。《周易参同契》说:"金来归性初,乃得称还丹。"炼丹成金,就是凡本归源。所以还丹也称"金丹"。还丹有大、小、金液、玉液之分。小还丹指炼就真气,使肾气传肝气,肝气传脾气,脾气传肺气,肺气传心气,心气传肾气。大还丹为行三田反复,炼化精气。玉液还丹,即通中关后,以舌搅上腭而咽津,炼津成形的丹。金液还丹指炼精化气后在下丹田结成的丹。

2.修炼基础

宋代的苏轼的《养生偈》说到内丹修炼:"闭邪存诚,炼气养精。一存一明,一炼一清。清明乃极,丹元乃生,坎离乃交,黎枣乃成。中夜危坐,服此四药。一药一至,到极则处。几费几息,闭之廓然,存之单然,养之郁然,炼之赫然。守之以一,成之以久。功在一日,何迟之有。"就是说炼丹先诚心,禁闭邪念,越有诚心,则性越明,越修炼,则性越清,如此内丹才能产生。内丹修炼是一个综合过程,包括了儒家、佛教的思想,如尽天理、戒恶行。

其一,德性修炼。首先要屏弃邪念,利人积德,道教称之为

苏东坡像

"积德累行"、"立仙基"。王重阳说，炼内丹，"第一，先除无明烦恼；第二，休贪恋酒色财气"。首先要持戒清净，忍辱慈悲，断除恶念，多做善事，行方便，救度一切众生，忠君王，孝顺父母师长。《金丹大要》也说："去色欲，绝恩爱，轻财物，慎德行，四者为炼己之大要。"

其二，意志修炼。内丹的修炼在于意志的调控，《仙宗丹道真诠》的炼己止念口诀说："炼己止念万缘了，万缘放下莫心焦，无心于事，无事于心，视听言动不相交。无天无地无日月，世事红尘不知晓。"如此，没有怒，也没有喜，当然就不存在去调控怒与喜。当无心于外，则神返回于身，气也回归于身，人即归于清净。这时神、气、精皆在体，就为炼丹打好了基础。

3.三关修炼

炼内丹要通关,一关一个境界,初关炼精化气,中关炼气化神,上关炼神化虚。

(1)初关修炼

初关为炼精化气,主要包括采、封、炼、止四要。采,就是采药,药产于静定至"杳冥恍惚"之际。当达到杳冥恍惚时,就要凝神于气穴即采之。所采之药为内药,指心中元神。封,就是采药后,用真意将下行精气引于下丹田中,加以封固,令其满。炼,就是精气满后,就会运转,运转一周为"一候",每候都要"再封",再意守丹田。止,就是运转到百日就停止。

(2)中关修炼

中关炼气化神,包括大药过关服食、守中。大药过关服食,就是将下丹田炼成的大药,即"金液还丹"运过背后三关,行周天运转一次,入中丹田黄庭之内。称之"服食金丹"。一般需要七天。守中,即是十月功夫。大药过关服食后,身中各脉自然开通,心则大定。所以守中即是虚空,不须动意念。

(3)上关修炼

上关为炼神化虚。经过几年修炼,阳神老成,则可出神如化,变化无穷,达到出神入化的地步。

修炼内丹实际上将己身静定为一独立世界,将此世界中的精、气、神融合成丹,用丹打通经脉,使一切虚空。然后出神入化,置身于其乐无穷、变化多端的世界。人是否能修炼到无饮食、无呼吸而又能置身于无所不包的美境,我们无法验证。即使有这种出神入化,也是道家所谓"真意"的作用,对于真意,《乐育堂语录》说:"静则为元神,动则为真意"。元神与真意不无区别,区别只在动与静。人的一切意念当本于元神,即是真意,否则为妄念、妄意。如果意念不本于元神,也就是动的意念不是真意,就会走火入魔。如果不能虚其心,放下世间尘念,就不要炼内丹。前文也指出,道家与儒家不同,道家修炼是完全的个人行为,了却了人与人之间的一切干系,放下了一切世俗的东西,一心向道,无责任、无牵挂者可以入道炼丹。

三、辟谷服气　身轻色美

辟谷亦是却谷,断谷,休粮,却粒,就是不进五谷。古人认为:"食肉者勇敢而悍,食气者神明而寿,食谷者知慧而夭,不食者不死而神。"吃五谷虽然能长智慧,但却难以长生,只有不吃五谷才能不死而神。所以做到辟谷就能长生不死。秦汉时期盛行却谷,在秦朝一些避难隐居的人,以静居行气养生。到了西汉,一些人便热衷于此,行辟谷养气之法。开国元勋张良跟随赤松子学习辟谷。张良还把四位有名的辟谷者介绍给汉高祖刘邦。当时这四位高人均已 80 多岁,但都面如童子。长沙马王堆就有《却谷食气》的文献,其中说明了如何通过服药食气而辟谷。东汉名臣桓谭也总结了吐故纳新的食气辟谷的方法。

辟谷的理论根据在于谷气胜元气,则人肥而不寿。辟谷即是运行元气,减少谷气达到轻身健体的目的。其文化意义在于减轻体重,飞身上天以成仙。古人认为吃了五谷,就会增加体重,就会得病,成不了仙人,也上不了天。

怎样辟谷？文献记载的辟谷的方法多种多样,晋代葛洪指出辟谷有一百多种方法。按文献记载,可服药辟谷,可服杂食辟谷,可吃饱食后服药而辟谷,可服符水辟谷,可饮酒辟谷,可食日月

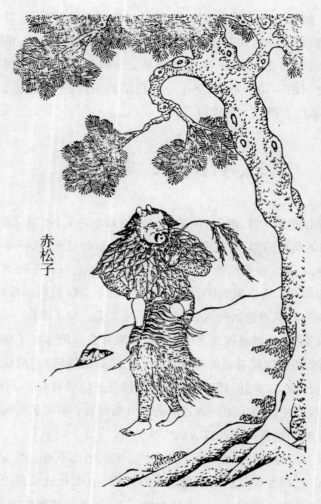

赤松子

之光及云霞辟谷,不过服药辟谷是主要方法。《云笈七签》记载食枣辟谷法,"诸欲绝谷行气法,日食减一口,十日后可不食,二日三日腹中或悄悄若饥,取好枣九枚,若方寸术饼九枚食之。一日一夜不过此也。不念食者勿啖也。"就是食量逐渐减少,十日后即不进米饭,若感到饥饿则吃几颗枣子,不觉得饥饿不吃枣子,如此日复一日。汉代郝孟节口含枣核，不食静养，可达五年，甚至十年。

《长生胎元神用经》介绍的辟谷法为：有意休粮者，到吃饭时，漱口，集中意识，想象白气从脑中出，由上经颈项，背脊入脐，聚气如饭香，以此达到排除饥饿的目的。但不能有杂念，否则会出乱子。这种方法有点画饼充饥的味道。

也有食日月星光和云霞辟谷。《五符经》认为服食日月星光，可以长生。隋代名医巢元方总结了服日月光法：服日光者，端坐伸直腰，面向日仰头，徐徐以口吸气而咽之，三十遍乃停；服月光者，在月初出和日落之时，向月正立，身体放松，仰头吸月光，吞而咽之。食云霞也是同样的办法。

辟谷并非不吃东西，而是不吃谷麦饭食，杂食、药物是可食用的。常食用的杂食有芝麻、枣、花生米、豆、胡桃等；药物有地黄、天门冬、麦门冬、松子、松脂、柏子、枸杞、杏仁、山药、菊花、白芍、"五芝"等。五芝即石芝、木芝、草芝、肉芝、菌芝。关于"五芝"，葛洪在其所著《抱朴者·仙药》中对其形状和增寿的药力做了说明：

石芝长在海边、大山上、海岛的山崖边，其如动物，有头四脚，服食一斤可得千岁。

木芝有飞节芝、木渠芝等，飞节芝如龙，是古松的聚脂，三千岁的松树，其皮中的聚脂，形状如龙形，名叫飞节支，大者重十斤，吃十斤可得岁五百。

菌芝为菌类植物，形状各异，其形状有的如宫室，有的如车马，有的如龙虎，有的如飞鸟，色彩各异，共一百二十种，食之可得千岁。

草芝有五德芝、牛角芝、龙仙芝、龙衔芝、白苻芝等。白苻芝，

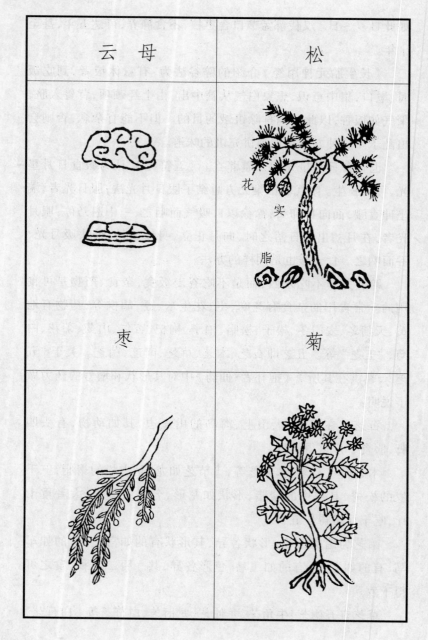

云母

松

花
实
脂

枣

菊

高四五尺,似梅花,大雪时开花结果。

肉芝有万岁蟾蜍、千岁蝙蝠、千岁燕、千岁灵龟、风生兽等,如千岁灵龟,有五色,雄龟额头上两骨凸起象角。用羊血淋之,再去其甲,用火烤之,吃一具,就可得寿千岁。

辟谷到底能达到什么效果?从文献记载看,辟谷可以使人身轻如燕,并能保养肤色,壮其体力,延长寿命。关于辟谷的效果,代代都有记载,《山海经》载山上有位神人,吸风饮露,不食五谷,而心灵明澈,形容如处子。《淮南子·人间训》载春秋鲁国人单豹到深山修炼长生术,住岩穴,饮溪水,不吃五谷,到七十岁,人的肤色如同孩童。葛洪说服石药数十丸,便辟谷四五十日不饥;可吃大药,辟谷多可达十年,少可一二百日;饱食辟谷,再服药以养所食之物,令不消化,可辟谷三年;吃松柏子及术达到数十日、数百日不进五谷。葛洪提到三国时,吴国有个道士叫石春,常一月或百日不吃,吴景帝奇之,令人将他关在密室,派人看守。石春只要二三升水。如此一年余,石春面色鲜悦,气力如故初。葛洪还说他见过辟谷二三年而身轻,肤色好,不怕风寒暑热,体力强的人,还说有位冯姓书生,仅仅吞气,就断谷三年,而且能挑一斛的东西走山路,一天都不疲倦。《梁书·陶弘景传》说南朝的陶弘景善于辟谷导引,年过八十而容貌如壮年。《唐书》载唐嵩山道士潘师正,居山二十余年,仅吃乌饭、松叶,饮水,活了98岁;孙智谅学道,唯吃枣,饮水,享年达140岁。王希夷隐居嵩山,以松柏叶和其他花为食,96岁被唐玄宗召见赐封。《宋史》载五代末道士陈抟,居武当山,服气辟谷二十余年,每天只饮酒数杯。道士丁少微,吃药辟谷,年一百余岁,强健无病。道士柴通玄,善辟谷,唯饮酒,年一百余岁无疾病。元代有个叫吉志通的人,食黄精、苍术辟谷十年,精神振作,行步如飞。直到现代也有不进五谷

陶宏景，即陶弘景，南北朝秣陵人。精通文学、书法及阴阳五行、地理、医药。隐居在句曲山（茅山），造三层楼，自称华阳隐士。

卫叔卿，汉武帝时中山县人。常吃云母，因而成仙。跟洪崖、许由、巢父等人做朋友。

而生存的奇事：1988 年，湖北省麻城村姑熊再定，15 岁得重病，十年未进米粒，病愈后竟能独立行走，做家务活。

是否不吃五谷杂粮而通过服气、吃枣、酒等物，就能长寿健体，仍然需要研究。其实，在古代对辟谷也有不同意见。汉代的王充就批评方士们宣扬不吃五谷而为仙人为妄言，认为人不吃粮会饿死，"人之生也，以食为气，犹草木以土为气矣。拔草木之根，使之离土，则枯而蚤死。闭人之口，使之不食，则饿而不寿矣。"葛洪也认为断谷不可能令人长生，"断谷人只可息肴粮之费，不能独令人长生也。"与此意见相反，则认为辟谷可以长生，晋人杨泉认为元气胜谷气，则人瘦而寿；谷气胜元气，则人肥而不寿。道书《天交上经》也认为太古之人所以寿考，是因为不食谷。这显然不符合事实。

虽然无法说明辟谷的实际功效，但从文献中可知其要：一要戒除嗜好，平静心理；二要服气，使气充满，排除体内杂物；三要渐进，逐渐减少食量，有人主张每日减一口，十日全断，断后饥时，亦可吃少许，决不能强行辟谷。如果要还食谷，也要渐进，先吃粥，一日增一口，十日后恢复正常，不可一开始就饱食；四要以它物代替五谷，如吃枣、饮酒、服药。这里要指出却谷并不是不吃任何食物，而是把服气与进食吃少量松子、枣等相结合，达到减轻体重、延续生命的目的。

应该指出通过辟谷而得道成仙是一种妄想，不过辟谷对于减肥不失为有效方法，而且也是特殊情况下延续生命的良法，如对野外生存训练则大有用武之地。

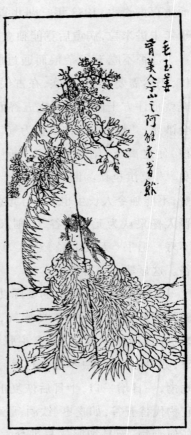

桂父，古仙人，常常服用桂叶，脸色像儿童似的。

毛玉姜，在华阴山中，满身生毛，自言是秦始皇宫人。秦亡后，流落山中，遇道士谷春教吃松叶，遂不饥不寒，身轻、步行如飞。

四、吐故纳新　精气日盈

古人认为气结为形，形、气立而后有神，神由气生，神为子，气为母。因此，气为生之本。《胎息精微论》说："欲得长生，当修所生，所生之本，始于精气。"养气即是养生之本，就是要固守元气，吐故纳新。

1.食气法

古人认为，形由气充，养生就要食气。呼吸新鲜空气亦可达到延年益寿。《吕氏春秋》记载伊尹教导商汤通过吞食新鲜空气以达到长寿，"用其新，弃其旧，腠理遂通，精气日新，邪气尽去，及其天年"。庄子也说："吐故纳新，熊经鸟伸，为寿而已矣。"

何时的气为新？晋代的葛洪认为气生之时为空气清新，他指

静坐，第一阶段，集光　　　　　　　静坐，第二阶段，新的生命存在的开始

出从半夜到日中六时为生气，从日中至夜半为死气，应该在生气时行气，而不应该在日中之后吞食空气。

如何吞食新鲜空气？出土的《行气玉佩铭》就描述了行气的过程，郭沫若解释为："行气，深则蓄，蓄则伸，伸则下，下则定，定则固，固则萌，萌则长，长则复，复则天。天机本在下。顺则生，逆则死。"蓄就要气沉丹田，气蓄满则运转，由下而上，抵头顶。长沙马王堆出土的医书《十问》就详细说明了食气的方法：吸气之道，要让元气达到身体的每个部位，精气就会生长。如果全身精气充足，怎会生寒热之邪气？吸气一定要深长持久，使新气存于体内。陈浊之气使人衰老，新气使人长寿。善于炼气的人在夜间呼出陈气，在清晨吸收新气，并通彻九窍，充实六脏。食气要禁忌春天的浊阳、夏天的汤风、秋天的霜雾、冬天的凌阴，能避开这四害，吐故纳新，就能长寿。这部书还指出了晨晚、昼夜的吸气方法，早晨吸气，要使新气充盈肺部，再深入腹部而除尽陈气，如此则新气日充，形体健康。白天吸气要微弱，如此则耳目聪明，身体

静坐，第三阶段：法身被为独立的存在分离而去①中轮回。

静坐，第四阶段：在所有状态之中的中心（缘中）

行气图

无疾病。傍晚吸气要深长徐缓，让耳朵都听不到，如此则能安睡，延年益寿。半夜吸气，要保持睡眠的姿势，缓慢地进行深呼吸，不要用力，让内脏全部开启。

南北朝的陶弘景在《养性延命录》中描绘了如何吸气屏气：先仰卧吸气，屏气数数至二百，然后吐气，如此反复。

唐代的孙思邈在《千金要方》中介绍了几种方法，如迎气法：即每天早晨起来面向东方，双手放在膝上，动意念，上顶天，下达涌泉，以鼻吸气，口微微吐气出气少，入气多。

明代的张景岳在《类经》中指出，调息内气，应在安静封闭的房间，仰卧在床上，瞑目，先练习闭气，从鼻孔缓慢吸气，使腹部胀满，闭气难忍时再徐徐吐出，然后再重复。清代的汪讱庵也说："调息之法，不拘时候，随便而坐，平直其身，纵任其体，不倚不曲,解衣缓带,务令调适,口中舌搅数遍,微微呵出浊气,鼻中微微纳之,或三五遍,或一二遍,有津咽下,叩齿数通,舌抵上腭,唇齿相着,两目垂帘,令胧胧然,渐次调息,不喘不粗,或数息出,或数息入,从一至十,从十至百,摄心在数,勿令散乱,如心息相依,杂念不生,则止勿数,任其自然,坐久念妙,若欲起身,须徐徐舒放手足,勿得遽起,能勤行之,静中光景,种种奇特,直可明心悟道,不但养身全生而已也。"

由以上可见食气要领:第一,要吸清新之气,禁食死气、浊阳、霜雾;第二,吸气要舒缓、深长;第三,以鼻引气,以口吐之,吐必微弱;第四,闭目屏气;第五,衣带宽松;第六,咽唾液;第七,要动意念,以便气达周身。

2.龟咽法

古人为了延年益寿,便向动物学习,学习其长寿之道。葛洪《抱朴子》说,猕猴有寿八百岁,蟾蜍有寿二千岁,腾黄之马有寿三千岁,龟鹤皆有千年,"知龟鹤之遐寿,故效其道引以增年"。其道即是食气以生。葛洪提到一个故事,说的是某郡人张广定逃避战乱,将四岁小女弃于村口古墓中,留下数月饭水。等战乱平定已三年,他回乡准备收葬女儿,到古墓一看,发现女儿坐在墓穴中并没有死,张问女儿吃什么,女儿说是因为效仿墓中的大龟伸长脖子吞气,才活到今天。效仿乌龟"伸颈吞气"就可以不食而生。

模仿乌龟吞气可以不死,模仿其他动物也可以长生。宋代的《云笈七签》对龟鳖、蟾蜍、大雁行气法等做了详细说明:

龟鳖行气法:即是用衣服捂鼻,不呼吸做九遍。再仰卧,两手放在膝上,手心向上,仰头像乌龟一样吸气,让元气至下丹田,用大拇指捻鼻,不呼吸,则气上至泥丸脑中。再用左手捉发,右手摸项。这种方法简单易行,影响较大。

蟾蜍行气法:在日出、日中、日落时,向日正立,不呼吸做十二遍,仰头向日吸气,下咽九次,则精力倍增。

大雁行气法:效仿大雁行气,低头靠臂,不呼吸做十二遍,以意念排除体内杂物,从下部呼吸,则身体健康。

龙行气:低头向下看,不呼吸,做十二遍,可治愈疮疥;向阳仰卧,手摩腹部到脚,用手往上拉脚,做十二遍,不呼吸做十二遍,可治肢体疼痛。

3.胎息法

胎息是一种微弱的呼吸方法,如人在胞胎之中,不以鼻口呼吸,闭气而吞之,"闭气而吞之,名曰胎息,习漱舍下泉而咽之,名曰胎食"。《太清调气经》说:"胎息者,如婴儿在母腹中十个月,不食而能长养成就,骨细筋柔,握固守一者。"《延陵君修养大略》说:"人能依婴儿在母腹中自服内气,握固守一,是名曰胎息。"胎息即是由吞食外气进入到自服内气便能生存的婴儿状态。这可能与老子回归婴儿的状态相联,由此引申为返老还童的养生思想。《太平经》指出胎息所以能增强人的生命力,在于其养内气,就是说胎儿所取之气为天道自然之气,与出生后所呼吸的气不同,前者为内气,后者为外气,守外气则死,守内气则生,因为内气养其性。《胎息精微论》也说:"凡胎从气中结,气从胎息生。"只有内食元气,气结为胎,胎息生气,就会长生。

在古代,胎息法被视为延年益寿的重要途径,也就是通过微弱的呼吸,达到长生目的,这种方法甚至使人容光焕发,力量过人。相传汉代王真练习胎息之法,"断谷二百余日,肉色光美,力并数人"。

关于胎息之法,葛洪在《抱朴子·释滞》有所介绍就是用鼻吸气而闭之,心中数数至一百二时,然后再来一次。在这个过程中把一根鸿毛放在鼻口,如果鸿毛不动,就算成功。这样久而久之,能数数至千。最终达到不以鼻口呼吸,就回到了胎儿状态。

宋代的《云笈七签》卷三十五也谈到胎息法,即从夜半到第二天的中午前,握紧拳头,将意念集中在脐下,把自己想象成只有二三寸的胎儿,并用鼻深呼吸,将新气含在口中不吞入,也不让口气出,与脐下合气。这实际上将胎息与意守丹田结合起来了。

金元时,全真北七真的一派孙不二有一首关于女子胎息术的诗:"要得丹成速,先将幻境除。心心守灵药,息息返乾初。忎复通三岛,神忘合太虚。若来与若去,无处不真如。"也就是先除却杂念,心息相联,呼吸如胎儿,这样气通上中下三丹田。

明代的袁了凡在《摄生三要》说:"须想其气,出从脐出,入从脐灭,调得极细,然后不用口鼻,但以脐呼吸。如在胎胞中,故曰胎息。"想象人如胎儿以脐呼吸。这与庄子所谓用脚跟呼吸如出一辙。

明代王文禄编的《胎息铭》说:"三十六咽,一咽为先,吐唯细细,纳唯绵绵,坐卧亦尔,行立坦然。戒于喧杂,忌以腥臊。假名胎息,实曰内丹。非只治病,决定延年。"先咽气,再细细吐出,再缓缓吸入。

由以上可见胎息法有如下要领:其一,内外皆忘,内绝所思,外绝所欲。其二,用鼻引气。其三,为深吸气。其四,闭口,用鼻呼吸,呼吸微弱无声。其五,逐渐减少呼吸,以致于无。其六,动意念身体的某个部位,且将自己想象成胎儿。意念可集中于脐下,也可集中其他部位,如脚跟。

胎息法企图以动意念的办法达到消灭口鼻呼吸的目的,恐怕是幻想。如通过脐来呼吸。其实,脐带是母亲供给胎儿营养和氧气以及胎儿的排泄废物的通道,没有母亲的呼吸,胎儿就不能成活。出生后婴儿靠自己的呼吸系统呼吸。不管是婴儿自己呼吸,还是依靠母亲供给氧气,所吸之气都是相同的,胎儿的内气来自母亲呼吸的外气。而且刚出生的孩子,呼吸表现为浅、快、不匀,并非缓慢而深。深呼吸并非婴儿的呼吸特征,所谓回归婴儿的呼吸状态与事实不符。鼻、咽喉等器官是人的呼吸系统,人只有通过这些器官进行呼吸,无论动什么意念,都不可能通过脐、脚跟等其他人体器官进行呼吸,因为物质决定意识,而不是相反。当然,也有可能因为意念集中、心理平静、呼吸减缓,从而降低人的代谢过程。

4.吐气法

南朝道士陶弘景总结出了吐纳"六字诀",即呵、嘘、呼、呬、吹、唏出气法,吹可以去风,呼可以去热,唏可以去烦,呵可以下气,嘘可以散积滞,呬可以解疲乏。这六种吐气可以分别医治心、肝、脾、肺、肾和三焦的病变。

孙思邈继续发挥六字吐气的医疗思想,并做了具体说明,他说:"若患心冷病,气即'呼'出;若热病,即'吹'出;若肺病,即'嘘'出;若肝病,即'呵'出;若脾病,即'唏'出;若肾病,即'呬'出。"又指出具体吐气方法,"冷病者,用大呼三十遍,细呼七遍。呼法:鼻中引气入,口中吐气出,当令声相逐'呼'字而吐之。热病者,用大吹五十遍,细吹十遍,吹如吹物之吹,当使字气声似字。肺病者,用大唏三十遍,细唏十遍。肾病者,用大呬五十遍,细咽三十遍"。

宋人对吐气的治病作用也做了说明,如《云笈七签》说:"呬属肺,肺主鼻,有寒热不和及劳极,依呬吐纳,兼利皮肤疮疥。"明人整理了多种六字诀,如《去病延年六字诀》:"肝若嘘时目睁睛,肺知呬字双手擎。心呵顶上连叉手,肾吹抱取膝头平。脾病呼时须撮口,三焦客热卧嘻宁。"又如《四季却病歌诀》:"春嘘明目木扶肝,夏至呵心火自闲。秋呬定收金肺润,肾吹唯要坎中安。三焦嘻却除烦热,四季长呼脾化餐。切忌出声闻口耳,其功尤胜保神丹。"明人龚廷贤所著《寿世保元》中也阐述了六字吐气原理,他认为五脏之气不和,可以通过"六字"吐出毒气,其方法:在半夜至中午时,面对东方,关上窗户,宽衣正坐,叩齿三十六下以安定心神,然后"低头开口,先念'呵'字,以吐心中毒气。念时耳不闻'呵'字声,闻即气粗,亦损心气也。但呵时令短,吸时令长,即少吐纳多。吸讫,即低头念'呵'字,耳复不得闻吸声。如此吸者六次,即心之毒气渐散,又将天地之清气补之,心之元气亦渐复矣。"

由以上可得吐气要领:第一,事先做好准备,安定心神;第二,吐气不出声;第三,可与动作相结合,如嘘时睁眼;第四,默念六字;第五,与食气相结合,且吸气多,吐气少。因为服气是采补天地之清气,所以要多。

第五章　动身健体

生命在于运动。运动可以调和血气，通畅百脉，强健机能，灵活关节，最终使体魄健壮，精力旺盛，动作灵敏。为此，我国古代创造了许多导引法、保健术和拳道。这些成了中国养生文化的重要内容。

《导引图》马王堆

一、导引养生　猿伸虎踞

导引是一种呼吸与动作相结合的功法，模仿动物，导气以和，引体以柔，强身健体。导引又称道引，《庄子·刻意》说："此道引之士，养形之人，彭祖寿考之所好也。"导引在于保养形体，疏通血脉。导引包括按摩、肢体运动。唐代和尚惠琳把"自摩自捏，伸缩手足"当作导引。

我国古代非常重视通过导引强身健体。1973年，长沙马王堆出土的《导引图》是迄今世界上现存最早的导引图。既有模仿鸟兽动作，也有器械运动。晋代葛洪在《抱朴子》中介绍了许多导引方法，主要有：熊经、鸟伸、龙导、龙引、龟咽、燕飞、蛇屈、猿据、兔惊，有伸屈，有行卧，有倚立，有徐步，有息等。南北朝陶弘景《养性延命录》收录了华佗的"五禽戏诀"，包括"吹、呼、嘘、呵、唏、呬、吐"等运气方法，还介绍了啄齿、漱唾、熨目、擦面、摩身等导引法。明代的宋濂有《导引却病诗》："鼓呵消积聚，兜体治伤寒。叩齿牙无疾，升观鬓不斑。运气除眼翳，掩耳去头旋。托踏应轻骨，搓除自美颜。闭摩通滞气，凝抱固丹田。淡食能多补，无心得大还。"就是教人呵气、提肛、叩齿、伸展四肢、摩面等。清人沈金鳌在《杂病源流犀烛》中介绍了一种治感冒的导引法："先擦手心，极热，擦摩风府百余次，后定心以两手交叉，紧抱风府，向前拜揖百余，俟汗自出，勿见风，定息气海，静坐一香，饭食迟进，则效矣。"

总之，我国导引术源远流长，形成套路且影响广泛的有如下几种：

1.汉简导引

张家山汉简《引书》中的导引内容更为丰富,李零先生在《中国方术考》中对各种导引招式做了说明,其详者有:

下肢运动:

（1）**交股:**一腿站立,另一腿的小腿盘在该大腿上,反复交换,共 30 遍;

（2）**尺蠖:**即是模仿尺蠖爬行,轮流用一腿站立,另一腿先屈膝,再勾脚向前蹬出。

（3）**金指:**将双脚绑住,跳跃,共 30 遍。

（4）**坤堄:**伸直腿蹦跳,共 30 遍。

（5）**累足:**轮流一只脚踩在另一只脚上,然后蹦跳,共 30遍。

（6）**袭前:**双腿一前一后蹬踏,共 30 遍。

（7）**摩小腿:**用脚心脚背按摩小腿两侧,共 30 遍。

（8）**引阳筋:**伸直脚以活动腿正面的筋,左右各 30 遍。

宋代导引术

（9）**按摩脚心脚背**：各 30 遍。

头颈运动：

（1）**引颈**：双手背于后，手指交叉而握，朝前俯。

（2）**阳见**：双手背于后，手指交叉而握，向后仰，头也向后看。

（3）**穷视**：双手手指交叉而握，向前俯，向后看脚跟。

（4）**侧比**：双手背于后，手指交叉而握，两眼侧视双肩。

（5）**凫沃**：双手背于后，手指交叉而握，两眼左右回顾。

（6）**旋伸**：双手手指交叉，手背向上，双手向上和向后伸展。

（7）**臬栗**：双手背于后，手指交叉而握，缩颈项。

腰背和上肢运动：

（1）**折阴**：前伸一脚，双手五指交叉，俯身，掌心着脚背。

（2）**回周**：双手五指交叉推出，俯仰回旋。

（3）**龙兴**：双手五指交叉而握，先按膝，再挺胸，双手向斜上方伸展。

（4）**蛇咽**：双手背于后，五指交叉而握，咬舌缩颈项。

（5）**大瞅**：两手撑地，两脚前后蹬踏。

（6）**受据**：俯身，右手摸左脚，左手往后举，然后反之。

（7）**参背**：两手合掌于胸前，然后掌心向外推出，呈一字形。

（8）**悬前**：俯身，两臂下垂，然后挺胸，两臂上下摆动。

（9）**摇弘**：举臂做搏击姿势。

（10）**反指**：两手平托上举。

（11）**虎步**：弓步，斜伸一臂，仰身。

（12）**引阴**：双手背于后，五指交叉而握，尽力俯身。

（13）**引阳**：双手五指交叉而握，尽量俯身。

（14）**复鹿**：弯腰低头，反举双手。

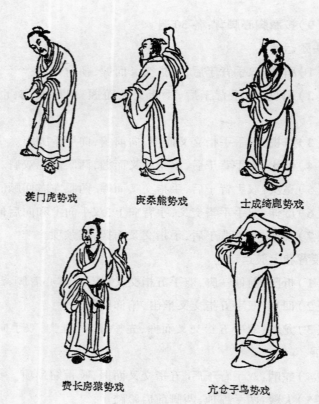

羡门虎势戏　　　庚桑熊势戏　　　士成绮鹿势戏

费长房猿势戏　　　亢仓子鸟势戏

五禽戏

（15）**虎偃**：两臂同时向左右摆动。

（16）**甬莫**：两臂同时左右上下摆动。

（17）**复车**：两臂左右斜摆和正摆。

（18）**鼻胃**：俯身，举两臂。

（19）**螳螂**：两手放于腋下，左右转动胸部。

（20）**武指**：迈左脚，伸右臂前指；迈右脚，伸左臂前指。

2.五禽戏法

五禽戏法相传为三国时华佗所创，五禽即是虎、鹿、熊、猿、鸟，前四势模仿兽类动作，鸟则仿效鸟类动作。华佗认为身体活动才会身体健康，其弟子吴晋坚持身体锻炼，90多岁了还耳目聪明，齿牙完好坚固。

关于五禽戏法，陶弘景在《养生延命录》中做了较为详细的说明：

虎戏：四肢距地，前三跨，退二跨，尽量伸展腰，侧脚仰天，随即伏身距地，前行后退各7遍。

鹿戏：四肢着地，引项反顾，左三右二；伸缩左右脚，伸三缩二。

熊戏：正仰，以两手抱膝下，举头，左擗地七，右亦七；蹲地，以手左右托地。

猿戏：攀物自悬，伸缩身体，上下各7次；以脚拘物自悬，左右各7次，手钩脚立按头各7次。

鸟戏：双手抬起，伸两臂，扬眉用力，各27次；坐伸脚，手挽足趾各7次，缩伸两臂各7次。

陶弘景还指出，练五禽戏法，要任力为之，以汗出为度，若有汗，以粉涂身。如果坚持练习，可以消谷气、益气力、除百病、延寿

华佗像

命。

　　华佗之后，五禽戏不仅增加了形式，而且与行气结合。增加的形式有"燕飞"、"蛇屈"、"兔惊"等。与行气结合的如明代刻本《赤凤髓》和《万寿仙书》。

　　《赤凤髓》的动作要领有：

　　羡门虎势戏：闭气，低头，两手紧握拳，如虎发威。两手如提千斤重物，轻轻起来，不要出气。起身，将气吞入腹中，让人觉得腹中之气如雷鸣。这样做五七次。常如此，可以使"一身气脉调，精神爽，百病除。"

庚桑熊势戏：闭气，捻拳，如熊身侧起来，重心立于一腿，先摆动左脚，再摆动右脚，前后立定，使气至两胁旁，骨节皆响。能安腰力，能出腹胀。做三五次为止。此戏可以"舒筋骨而安神养血"。

士成绮鹿势戏：闭气，低头，捻拳，一腿前迈，上体后坐，另一腿前伸，双手前伸，旋转身体，如鹿转顾尾闾。平身缩肩立，脚尖跳跌，脚跟连头，通身皆振动，做二三次即可，也可随时做之。

费长房猿势戏：闭气，一手如抓树枝，一手如捻果，两腿弯曲，身体重心落在一脚，另一脚提起，一手上举如取物，脚跟转动身体，吞气入腹。以出汗为好。

亢仓子鸟势戏：闭气，如鸟将飞起，两臂举起如弓在头前，翘起屁股，一脚迈出，另一脚虚点，身体重心落在前脚。

3.八段锦法

八段锦有八节不同的动作组成，故称"八段"。因为具有强身健体、延年益寿的绚丽前锦，所以称为"八段锦"。"八段锦"始于北宋，由于其良好的益身效果，广为流传，且流派颇多，有南、北派之分。南派传为梁世昌所立，有立式、骑马式、坐式等，动作简易，以柔为主，强调静思、集神与呼吸吐纳，又称"文八段"；北派托名岳飞所作，多为骑马式，动作较为繁难，以刚为主，侧重肢体运动，又称"武八段"。

武八段锦以肢体动作为主，活动时身体与精神均要放松，呼吸要自然、平稳。清光绪时的《易筋经图说·附录》载有八段锦招式的口诀："两手托天理三焦。左右开弓似射雕。调理脾胃须单举。五劳七伤往后瞧。摇头摆尾去心火。背后七颠百病消。攒拳怒目增气力。两手攀足固肾腰。"

摩肾堂图

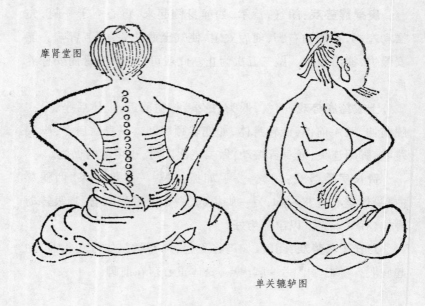

单关辘轳图

左右辘轳图

钩攀图

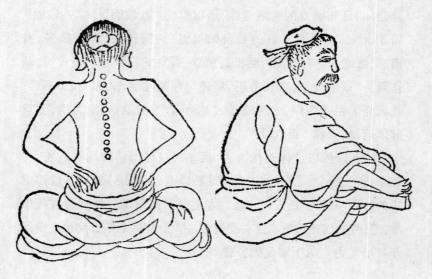

文八段锦法以静思为主,明代王圻《三才图会》、高濂《遵生八笺》、周履靖《赤凤髓》所录的坐八段皆为文八段,如《赤凤髓》的八段:

(1)叩齿集神:先瞑目端坐,静思,然后叩齿、凝神36;两手掩耳,手指弹击脑后,左右各24次。

(2)摇天柱:摇头左右看,肩膊随之转动24次。

(3)舌搅漱咽:左右搅动舌头,使津液满口,然后咽之。

(4)摩肾堂:将手搓热后摩肾,36次后,动意念于下丹田,觉热极为止。

(5)单关辘轳:摆撼左右肩各36次。

(6)双关辘轳:两肩并摆撼36次,意守丹田。

(7)托天按顶:两手相搓,呵5次,再双手手指交叉往上举,按头顶9次。

(8)钩攀:两手向前攀脚心12次,再收足打坐,吞咽口中津液。

在八段锦法基础上演化成"十二段锦"、"十六段锦"。

明中叶的徐春圃将十六功法收录在所编的《古今医统大全》中,他认为此功法每天练一二遍,可以"体健身轻,百邪皆除,走及奔马,不复疲乏矣"。

4.易筋经

易筋经也是我国古代活动筋骨的养生方法,流传于明清时,伪托为天竺僧人达摩所传,有"韦驮献杵第一"、"韦驮献杵第二"、"韦驮献杵第三"、"摘星换斗"、"出爪亮翅"、"倒拽九牛尾"、"九鬼拔马刀"、"三盘落地"、"青龙探爪"、"卧虎扑食"、"打躬"、"掉尾"十二式,其动作都是模仿古代各种劳动的姿势,如舂米、载运、收囤等动作。动作表现为肢体的舒展、俯仰和扭转。练习时要做到动静结合,刚柔相济,呼吸均匀,意守丹田。

（1）**韦驮献杵第一**：两脚开立,两掌相对于胸前,手指向上。做8—20次。

（2）**韦驮献杵第二**：两脚开立,两手自胸前向两侧徐徐推出,两臂与肩平,立掌,掌心向外。反复做8—20次。

（3）**韦驮献杵第三**：两脚开立,双手上举,掌心向上,两臂伸直,两脚尽力下蹬。反复做8—20次。

（4）**摘星换斗**：右手高举伸直,掌心向下,头向右稍斜,两眼仰视右手心,左臂曲肘置于背后。然后换左手高举,右手置背后。各做5—10次。

（5）**出爪亮翅**：两脚开立,两臂向前平举,掌心向前,两眼平视前方。反复做8—12次。

（6）**倒拽九牛尾**：右脚向前跨一步,成弓步,右手握拳,伸至前方;左手握浅,斜垂于后。然后换左弓步,伸左拳。各做5—10次。

（7）**九鬼拔马刀**：左手背于身后,掌心向外,右手由肩后往下伸,两手相抓。然后换右手背身后,左手由肩后伸,两手相拉。各5—10次。

（8）**三盘落地**：两脚分开,蹲成马步,上身挺直,曲肘,两手翻掌,平举小臂,如将重物托起,然后手臂伸直如放物。如此5—10次。

（9）**青龙探爪**：左手握拳,置于腰间,右手向左前方伸出,五指成爪,上体左转。反复5—10次。

（10）**卧虎扑食**：右脚向前跨一大步,成弓步,双手撑地,头微抬起,两眼注视前方,两臂随呼吸曲伸,上体起伏,如虎扑食。如此 5—10 次。

（11）打躬：两脚分立,与肩同宽,两手合抱脑后,手指敲脑勺,然后前俯弯腰,头探于两膝间,作打弓状。反复做 8—20 次。

（12）掉尾：两脚分立,上体前曲,手臂伸直,手心向上,手背着地,昂首注目。如此 20 次。

5.立、坐、卧功

我国古代舒展筋骨、活动四肢的导引功法不仅仅限于以上几种,唐代孙思邈的"天竺国按摩法"、明代的"陈希夷十二月坐功"、清人曹庭栋的卧、坐、立功都简单易学,今天当发扬光大。

天竺国按摩法

"天竺国按摩法",又名"婆罗门法",共十八势。

（1）两手相握翻转,如洗手法。

（2）两手轻轻相叉,翻复向胸。

（3）两手相握,共按胫。

（4）两手重叠,按腿部,徐徐捩身。

（5）以手用力作挽弓状。

（6）两手作拳向前击出。

（7）以单手上举如托石,左右轮流。

（8）两手握拳曲肘,做开胸式。

（9）坐正后,上身向两侧倾斜。

（10）两手抱头,弯腰至腿上,此是抽筋。

（11）两手据地,缩手曲脊,向上举 3 次。

（12）以手反搥背上,左右同。

（13）大坐,两脚轮流向前伸,脚不着地。

（14）两手着地，左右回顾，此是虎视法。

（15）正立，向后拗身3次。

（16）两手相叉，以左右轮流脚踏手中。

（17）起立，以脚前后虚踏步。

（18）正坐，伸两脚，用两手相勾所伸脚，著膝中，以手按之，左右同。

这套按摩法主要活动上、下肢和躯干，对身体大有裨益，尤其对老年人。孙思邈说："老年人日能依此行三遍者，一月后除百病，行及奔马，补益延年，能食，眼明，轻捷，不复疲乏。"

陈希夷十二月坐功

北宋陈希夷按二十四个节气编了二十四坐势，每一坐势都与叩齿、咽津、吐纳相结合。每天练习可以防治各种关节的疾病。

曹庭栋卧、坐、立功

清人曹庭栋在《老老恒言》中创编一套卧功、坐功、立功。

其卧功：

仰卧，伸两足，竖足趾。伸两臂，伸十指。俱着力向下，左右连身牵动数遍。

仰卧，伸左足，以右足屈向前，两手用力攀至左，及胁。攀左足同。轮流行。

仰卧，竖两膝，膝头相并，两足向外，以左右手各攀左右足，着力向外数遍。

仰卧，伸左足，竖右膝，两是后兜住右足底，用力向上膝头至胸。兜左足同。轮流行。

仰卧，伸两足，两手握大拇指，首着枕，两肘着席，微举腰摇动数遍。

其立功：

陈希夷十二月坐功图式

立春

宜每日子丑时，迭手按髀，转身拗颈，左右耸引，各三五度，叩齿、吐纳、漱咽三次。

雨水

每日子丑时，迭手按胜，拗颈转身，左右偏引，各三度，叩齿、吐纳、漱咽。

惊蛰

每日丑寅时，握固转颈，反肘后向，顿掣五六度，叩齿六六，吐纳、嗽咽三三。

春分

每日丑寅时，伸手回头，左右挽引、各六七度，叩齿六六，吐纳、嗽咽三三。

清明

谷雨

每日丑寅时，正坐定，换手，左右，如引硬弓，各七八度，叩齿纳清吐浊，咽液各三。

每日丑寅时，平坐，换手，左右，举托移臂，左右掩乳各五七度，叩齿、吐纳、嗽咽。

立夏

小满

每日以寅卯时，闭息瞑目，反换两手，抑掣两膝，各五七度，叩齿，吐纳，咽液。

每日寅卯时，正坐，一手举托；一手拄按，左右各三五度，叩齿、吐纳、咽液。

芒种

每日寅卯时，正立仰身，两手上托，左右力举各五七度，定息，叩齿、吐纳、咽液。

夏至

每日寅卯时，跪坐，伸手叉指，屈指，脚换，踏左右各五七次，叩齿、内清吐浊、咽液。

小暑

每日丑寅时，两手踞地，屈压一足，直伸一足，用力掣三五度，叩齿、吐纳、咽液。

大暑

每日丑寅时，双拳踞地，返首向肩引，作虎视，左右各三五度，叩齿、吐纳、咽液。

立秋

处暑

每日丑寅时，正坐，两手托地，绪体开息，耸身上踊，凡七八度，叩齿、吐纳、咽液。

每日丑寅时，正坐，转头左右举引，就反两手捶背，各五七度，叩齿、吐纳、咽液。

白露

秋分

每日丑寅时，正坐，两手按膝，转头推引，各三五度，叩齿、吐纳、咽液。

每日丑寅时，盘足而坐，两手掩耳，左右反侧，各三五度，叩齿、吐纳、咽液。

寒露

霜降

每日丑寅时,正坐,举两臂,踊身上托,左右各三五度,叩齿、吐纳、咽液。

每日丑寅时,平坐,纡两手,攀两足,随用足间力,纵而复收五七度,叩齿、吐纳、咽液。

立冬

小雪

每日丑寅时,正坐,一手按膝,一手挽肘,左右顾两手,左右托三五度,吐纳、叩齿、咽液。

每日丑寅时,正坐,一手按膝,一手挽肘,左右争力,各三五度,吐纳、叩齿、咽液。

大雪

冬至

每日子丑时,起身,仰膝,两手
左右托两足,左右踏各五七次,
叩齿、咽液、吐纳。

每日子丑时,平坐,伸两足拳两
手,按两膝,左右极力二五度,
吐纳、叩齿、咽液。

小寒

大寒

每日子丑时,正坐,一手按足,
一手上托,挽首互换,极力三五
度,吐纳、叩齿、嗽咽。

每日子丑时,两手向后踞床,跪
坐,一足直伸,一足用力,左右
各三五度,叩齿、嗽咽、吐纳。

正立，两手叉向后，举左足空掉数遍。掉右足同。轮流行。

正立，仰面昂胸，伸直两臂，向前，开掌相并。抬起，如抬重物，高及头。数遍。

正立，横伸两臂，左右托开，手握大拇指，宛转顺逆摇动。不计遍。

正立，两臂垂向前，近腹，手握大拇指，如提百钧重物，左右肩俱耸动。数遍。

正立，开掌，一臂挺直向上，如托重物。一臂挺直向下，如压重物。左右手轮流行。

其坐功：

跌坐，擦热两掌，作洗面状，眼眶鼻梁耳根各处周到。面觉微热为度。

跌坐，伸腰，两手置膝，以目随头左右瞻顾，如摇头状。数十遍。

跌坐，伸腰，两臂用力，作挽硬弓势，左右轮流互行之。

跌坐，伸腰，两手仰掌，挺肘用力，齐向上，如托百钧重物。数遍。

跌坐，伸腰，两手握大拇指作拳，向前用力，作搥物状。数遍。

跌坐，两手握大拇指向后托实坐处，微举臂，以腰摇摆。数遍。

跌坐，伸腰，两手置膝，以腰前纽后纽，复左侧右侧，全身着力，互行之。不计遍。

跌坐，伸腰，两手开掌，十指相叉，两肘拱起，掌按胸前。反掌推出，正掌挽来，数遍。

跌坐，两手大拇指作拳，反后搥背及腰。又向前左右搥臂及腿。取快而止。

跌坐,两手按膝,左右肩前后交纽,如转辘轳,令骨节俱响,背觉热为度。

二、日常保健　增强功能

我国古代总结出的养生保健功,能活动身体各个部位,促进血液循环,对强身健体大有裨益,为葛洪、陶弘景、苏轼、宋濂等养生家、文人所提倡。唐代司马承祯在《天隐子》中详细说明日常养生内容,主要有舒展四肢、叩击上下齿、摩擦脸面、盘足而坐、耸肩、呼吸、吞津等,具体功法为:每天自夜半子时至日中午时,先平卧舒展四肢,次起身使呼吸均匀。再叩大齿,以两手摩面及眼,身觉暖畅,然后端坐盘足,以舌搅口腔,使津液产生而漱之,默记其数,数及三百而一起咽之。咽津时先呼气,咽后而吸气,这样则吸气与津顺下丹田。在子后午前,食物消化、心理空乏之时,频频漱咽,遍数随意,意尽则止,凡五日为一程。若焚香于静室中,存想自身,从首至足,有自足至丹田,上脊膂入于泥丸,想起气如云,直贯泥丸,想毕,复漱咽,在以两手掩耳,搭其脑如鼓声21次,下伸两足,端足俯首,极力直颈,两手紧握。又于两肋下接腰胯骨傍,左右耸两肩,闭气顷刻,等到气盈面赤即止。凡行七遍,气从脊膂上通泥丸。

古代长寿的文人都有自己的一套保健方法。活了85岁的宋代诗人陆游就注意日常的身体保健。他坚持饭后扪腹、睡后摩眼和散步。陆游把饭后扪腹作为重要的养生手段,他在诗中说:"粳粒微红愧食珍,姜芽初白喜尝新。摩挲便腹无忧责,我是人间得计人";"解衣摩腹西窗下,莫怪人嘲作饭囊","午窗坐稳摩痴腹,始觉龟堂日月长";"饭已频摩腹,儿来暂解颐";"桂冠湖上遂吾初,扪腹逍遥适有余"。陆游还习惯睡觉起来按摩眼睛,其有诗云:"睡起展书摩病眼,油窗喜对夕阳明。"陆游也把当作健身的手段,把散步称为"行饭",有时还把散步与摩腹结合起来。他说:"笑唤筇枝扶蹇步,聊凭村酒借朱颜";"缓步东西行饭尔,无非看竹探梅花";"一榻有腰卧,四廊摩腹行";"饱来扪腹绕村嬉,北陌东阡信所之";"徐行摩腹出荆扉,掠面风尖酒力微"。

1.自我按摩

按摩又名推拿,是摩擦皮肤、肌肉、穴位从而促进血液循环的保健方法。按摩也是古代养生的重要方法。春秋战国时期,扁鹊就用按摩法为虢国太子治病。汉代按摩术大为流行,长沙马王堆出土的帛书《五十二病方》中就有"按摩医瘫病方",张仲景用按摩术救活缢死者,华佗用按摩治病。隋唐时期已有按摩专科,在太医署中设有按摩博士。北宋时官修的《圣济总录》中就编有按摩疗法,记录了按、摩、捋、捺等方法。明代太医院还设有按摩科。

按摩可以畅通经络,行气活血,疏理毛窍,调和营卫,松弛肌肉,灵活关节,保养肌肤、器官。《内经》说:"神不足,视其虚络,按而致之。"唐代孙思邈说:"调身按摩,摇动肢节,导引行气","能知此者,可得一二百年","小有不好,即按摩捋捺,令百节通利,泄其邪气……预防诸病也。"他认为不同的按摩方法有不同的功效,常摩面可以保持面部润泽,常按眼角,可以增强视力,按耳则耳不聋,鼻不塞,古人还认为兜阴可以增强性功能。

按摩也可治疗疾病。《摄生要义》指出,"凡人小有不快,即须按摩按捺,令百节通利,泄其邪气。凡人无问有事无事,须日要一度,令人自首至足,但系关节处,用手按捺,各数十次,谓之大度关。"按摩可治疗腹痛,其法如隋代巢元方在《诸病源候论》中所指出:"咽气数十,两手相摩令热,以摩腹,令气下。"按摩可以治疗遗精,可散气消肿化淤。龚居中的《红炉点雪》列举了十多种按摩却病的方法,如"梦失封金柜"可治疗遗精,每天睡觉时,凝神定气,先以左手搓十四次,再右手搓十四次,两手搓侧腹部三十五次,左右摇两三次肩,最后气沉丹田,则永远不会遗精。"闭摩通滞气"可散其消肿化淤,其法为:"治须闭息,左右手摩滞处四十九次。复左右手以津涂之,不过五七次,气自消散。"

按摩的方法,古人总结为按、摩、推、拿、揉、搓、掐、点、叩。主要是按摩眼、耳、眉、腹、背、腿、足等部位和各种穴位。按摩要集中注意力,呼吸均匀,体会按摩时的感觉,如《医宗金鉴·正骨心法要旨》所说:"一旦临证,机触于外,巧生于内,手随心转,法从手出。"如此会受到良好效果。同时要注意根据体质和病情安排按摩的时间和次数,一般安排在早晨醒后和晚上睡前。

2.头部保健

古代医学认为,"脑健必多寿"。《素问·病机气宜保命集》说,眼为身之鉴,耳为体之牖,面为神之庭,发为脑之华,体为精之元,要使耳聪目明,天庭饱满,精力充沛,就要注意眼、耳、面、发等的保健。

(1)头发保健

发为血之余,当常梳,常梳可使头发黑亮,可去风。《诸病源候论》说:"梳理头发,欲得多过,通流血脉,散风湿,数易栉,更番用之。"

(2)面部保健

先将手搓热,用双手轻轻摩擦面部,俗称"修天庭"。《修龄要旨》说:"颜色憔悴,所由心思过度,啊咯碍不谨,每辰静坐,闭目凝神,存养神气。……以两手拂热,拂面七次,仍以漱津涂面,搓拂数次,行之半月,则皮肤光润,容颜悦泽,大过寻常矣。"《理论骈文》也说:"面属阳明胃,晨起擦面,非徒为光泽也,和气血而升阳益胃。"

（3）鼻部保健

按摩鼻梁和鼻翼,或用大拇指按摩鼻两侧,可以治鼻炎、避风寒。《理论骈文》云:"以中指于鼻梁及鼻翼两边揩二十遍,令表里俱热,所谓灌溉中州,以润于肺也。"中州即鼻梁,活跃鼻梁可以润肺。

（4）眼部保健

通过两种方式进行:一是左右转动眼球,以此锻炼眼神经;二是熨目。即搓热两手,熨摩双眼,或按摩少阳穴,这样可去翳、活血、祛风,防止近视和青光。陶弘景说:"平旦以两手掌相摩令热,熨眼三过;次又以指按目四眦,令人目明。"又说:"摩指少阳令热以熨目,满二七,令人目明。"

（5）耳部保健

通过擦耳和鸣天鼓两法进行,擦耳即是双手按压和擦抚耳朵。《登真隐诀》说:"耳欲得数按抑其左右,亦令无数,令人聪彻,所谓营治城廓也。"耳为面部的边缘,故称城廓,擦耳可以令脑聪明。陶弘景说:"每旦初起,以两手叉两耳,极上下热按之,二七止,令人耳不聋。"鸣天鼓即是双手心捂耳,用中指和食指弹颈椎,如敲鼓,可以治耳鸣和头晕。

（6）头脑保健

头要常摇,古人称为摇天柱,就是用双手四指握住大拇指,然后摇动脑袋,前后左右数下,可使颈椎无疾病。

3.上体保健

（1）背部保健

一方面要保证背部温暖，防止背部着凉；另一方面要常捶背,经常由上而下捶击背部,可以减少腰椎疾病。

（2）肩部保健

为防治肩部酸痛及关节障碍,要常击肩,即用双手交互拍左右肩,可以防止肩周炎,增强循环功能。

（3）腹部保健

一般通过揉腹来保健,先将双手搓热,用热手按摩腹部,这样可以加强消化功能,利于大小便,减少胃肠疾病。《圣济总录》的揉腹方法是由心窝往下揉,至腹部则右手向左绕揉腹,左手向右绕揉腹。

（4）脐部保健

脐下即为下丹田,为气海,所以按摩脐部要与行气相结合。其方法如《保生秘要》所说就是端坐,先按面部迎香穴位以畅肺气,再将手心搓热,按摩脐部,将气沉丹田,又将气提升至泥丸。如有病则他人按摩。

《道枢·华阳篇》也有一套搓摩脐下炼内丹的方法,这种方法将按摩脐下与抚摩肾部相结合,一手搓脐下,一手兜抚肾部,因为肾为气海,气沉下部即入海。整个动作有搓脐、兜肾、抽缩、吞咽,使内外气融合为内丹。

4.两足保健

古人说:"万病从脚生。"中医学认为足上有 60 多个穴位,

按顶图

摇天柱图

舌搅漱咽图

叩齿图

>>

与五脏六腑联系紧密。因此养人当护脚。足部的保健包括按摩、温水泡洗、保暖、搓足心搓背等。按摩主要是擦涌泉，即用手掌摩擦脚心，使出汗如泉涌，可以驱风湿，安身健脑，能治疗头痛、失眠、便秘、高血压、小便不利等。元人邹铉说过擦涌泉的方法和作用，"其穴在足心之上，湿气皆从此入。日夕之间，常以两足赤肉，更次用一手握指，一手摩擦。数目多时，觉足心热，即将脚指略略动转，倦则少歇。或令人擦之亦得，终不若自擦为佳。"若每晚摩擦足心，令足热，即转动脚趾。如此晚年也会步履轻盈。

宋代大文豪苏轼深知养生术，对两足保养也有其道。一天，他到寺庙与好友佛印和尚坐而论道，不觉到了深夜，佛印只好让他在寺中宿歇。苏轼到床边脱去靴袜，盘腿而坐，用力按脚心，嘴微微动。佛印不得其解，还以为他在打坐。苏轼按完脚心，说到，东坡安脚，不是为菩提，而是为明目。他便为佛印讲了擦脚的缘由。他说脚心涌泉穴，早晚百次，可健足安眠，导虚火，降浊气，舒肝明目。

5.叩齿吞津

叩齿即是上下齿相叩击。龚居中《红炉点雪》说："齿之有疾，乃脾胃之心熏蒸。每日清晨，或不拘时，叩齿三十六遍，则气自固，虫蛀不生，风邪清三。"叩齿可以防止牙病。叩齿会生津，唾液为生之宝，当吞之，吞之可以健胃润喉。《养性延命录》认为唾液可以延年，《病源候论》也说："引肾者，引水来咽喉，润上部，去消温枯槁病。" 所以叩齿吞津成为保健术，《天隐子·后序口诀》说："先平卧舒展四肢，次起身导引；喘息均定，乃先叩当门齿小鸣，后叩大齿大鸣，以另手摩面及眼，身觉暖畅；复端坐盘足，以舌搅华池，候津液生而漱之。"

与叩齿相联,还要健舌。其法有搭鹊桥和赤龙之耕。搭鹊桥即舌尖翘起顶上腭,使任督二脉接通,加强气的循环。赤龙之耕,或称赤龙搅海,是以舌为赤龙,在口腔内上下左右搅动,可以健舌生津。

6.提肛运动

古称撮谷道即是提肛运动, 就是有意识地进行收缩肛门的运动,可以健胃,防治便秘,增强肛门部位的抵抗能力。提肛时,可站,可坐,可立,吸气时,收缩肛门周围肌肉,往上提;呼气时放松肛门、会阴。

三、太极拳道　动静相合

太极拳则是中华的高级拳术之一,有不同的门派,如陈派、宋派、杨派、王派、武派、吴派等。太极拳讲究阴阳相济,刚柔结合,动静相合,形神相随,首尾连贯,既导引行气,又有拳路,具有健身、防病、治病、防身的功能,也具有养神、益气、固肾、健脾、通经脉、行气血、养筋骨、利关节的作用,是养生的重要工具。

1.太极拳理

太极拳以阴阳、五行哲学为基础。太极为万物之源,《周易》说:"易有太极,是生两仪,两仪生四象,四象生八卦。"两仪、四象、八卦由太极而生。每个人都有太极、两仪、四象、八卦。腹部为太极,腰为两仪,两手两脚为四象,两手两脚各有两节为八卦,腹为根本。张三丰在《太极拳论》中说:"其根在脚,发于腿,主宰于腰,形于手指。"并将招式与五行八卦相联。太极拳路就是意守丹田，以静制动，阴阳交合，"动之则分，静之则合"，体现八卦、五行之理。

其一，气满丹田。太极为丹田，是一切的原动力，道教认为丹田为"气海"，丹田气满，则形体强健。清人王宗岳在《太极拳经》中说练太极拳就要使丹田气满，不偏不倚，若隐若现，既高

張三丰

深，又悠长，要"刻刻留心在腰间，腹内松净气腾然"。

其二，**意气连贯**。意气应贯通，进退、左右、上下皆一气贯之，如果意向上得气上，否则身体就散乱。张三丰说："一举动，周身俱要轻灵，尤须贯力，气宜鼓荡，神宜内敛，毋使有凸凹处，毋使有断续处。"又说："由脚而腿、而腰，总须完整一气，向前、退后，乃得机、得势。

其三，**开合虚实**。一阴一阳谓之道，顺道者当阴阳结合，阳中有阴，阴中有阳。太极拳循此道，讲究开合虚实。民国初的陈鑫在其所撰的《陈氏太极拳图说》中说："开合虚实即为拳经"，"一开一合没有变有常，虚实兼到，忽现忽藏"。也就是说能尽开合虚实之妙，就算练就了拳法，太极拳法之妙在于虚实、动静之间。"一动一静，是尽拳中之妙。"

2.太极拳式

练习太极拳要将太极理论融合在拳路中做到拳中有理，形中有神。

其一，练习要领

练习太极拳要做到松、固、凝。"松"就是身体放松，不要紧张，上要沉肩垂肘，下要松胯松腰，如此则经脉畅达，气血周流；"固"就是气固，也就是要气沉丹田，呼吸均匀；"凝"就是神凝，全神贯注，排除杂念，用意念指导动作。王宗岳说："太极拳者，其静如动，其动如静。动静循环，相连不断，则二气既交，而太极之象成。内敛其神，外聚其气。拳未到而意先到，拳不到而意亦到。意者，神使也。神气既媾，而太极之位定。"

学习太极拳，其姿势要"中正安舒"。"中"指神气中和，站则沉静；正"即姿势端正；"安"则安然、自然，不牵强做作，以保证气贯全身;"舒"则舒展,使全身得到活动。

练习动作要做到"轻灵圆活"。"轻"则轻巧;"灵"为灵敏;"圆"即圆满;"活"是灵活。整个动作要连绵自如。

其二,太极招式

王宗岳编成太极拳七十二路图势。

新中国成立后,国家体委编了"简化太极拳",其连续招式为:左右野马分鬃、白鹤亮翅、左右搂膝拗步、左右倒卷肱、左揽雀尾、右揽雀尾、单鞭、云手、单鞭、高探马、右蹬脚、双风贯耳、转身左蹬脚、左下势独立、右下势独立、左右穿梭、海底针、闪通臂、转身搬拦捶、如封似闭、十字手、收势。这些招式简便易学,为人们所喜欢。

3.行功禁忌

王宗岳指出练习太极拳要注意十要、十忌、十八伤,"十要"为:"面要常擦,目要常揩,耳要常弹,齿要常叩,背要常暖,胸要常护,腹要常摩,足要常搓,津要常咽,腰要常揉。""十忌"为:"忌早起科头,忌阴室纳凉,忌湿地久坐,忌冷着汗衣,忌热着晒衣,忌汗出扇风,忌灯烛照睡,忌子时房事,忌凉水着肌,忌热火灼肤。""十八伤"主要是要求行功保持心理平和,"久视伤精,久听伤神,久卧伤气,久坐伤脉,久立伤骨,久行伤筋,暴怒伤肝,思虑伤脾,极忧伤心,过悲伤肺,至饱伤胃,多恐伤肾,多笑伤腰,多言伤液,多睡伤津,多汗伤阳,多泪伤血,多交伤髓。"这"十要"、"十忌"、"十八伤" 实际上是日常保健活动和注意事项。因此,练习太极拳的同时还要做好身体和精神的保健。

图1:太极起式;图2—5:揽雀尾;图6—7:单鞭;图8:白鹤亮翅;图9:搂膝拗步。

图10:手挥琵琶;图11—12:左右搂膝拗步;图13:手挥琵琶;图14—15:进步搬拦棰;图16:如封似闭;图17:十字手;图18:抱虎归山。

图 19:肘底看棰;图 20—21:左右倒辇猴;图 22:斜飞式;图 23:提手;图 24:白鹤亮翅;图 25:搂膝拗步;图 26:海底针;图 27:扇通臂。

图 28:撇身棰;图 29—30:上步搬拦棰;图 31—33:揽雀尾;图 34—35:左右云手;图 36:单鞭。

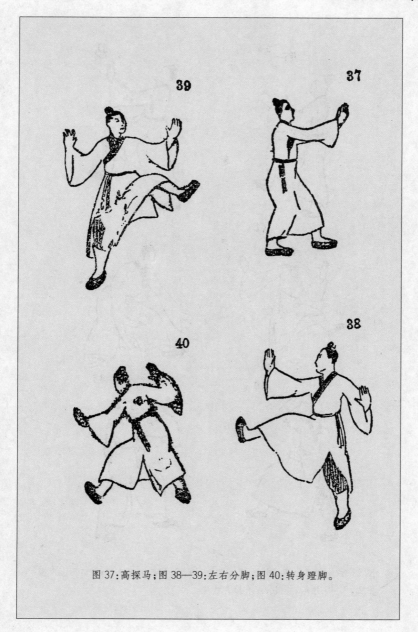

图 37:高探马;图 38—39:左右分脚;图 40:转身蹬脚。

图 41:左右搂膝拗步;图 42:进步栽锤;图 43:翻身白蛇吐信;图 44:上步搬拦锤;图 45:蹬脚;图 46:左右披身伏虎。

图47:左右披身伏虎;图48:回身蹬脚;图49:双风贯耳;图50:左蹬脚;图51:
转身蹬脚;图52:上步搬拦锤。

图53:上步搬拦捶;图54:如封似闭;图55:十字手;图56:抱虎归山;图57:斜单鞭;图58—59:左右野马分鬃;图60—61:上步揽雀尾。

图 62—63：上步揽雀尾；图 64—65：玉女穿梭；图 66—67：上步揽雀尾；图 68：单鞭；图 69—70：云手。

图71:单鞭下势;图72—73:金鸡独立;图74—75:倒辇猴;图76:斜飞式;
图77:提手;图78:白鹤亮翅;图79:搂膝拗步。

图80:海底针;图81:扇通臂;图82:撇身锤;图83—86:揽雀尾单鞭;图87—88:云手。

图 89:单鞭;图 90:高探马;图 91:十字腿;图 92:搂膝指档棰;图 93—96:上势揽雀尾;图 97:上步七星。

图98:退步跨虎;图99:转身摆莲;图100:弯弓射虎;图101—102:上步搬拦
锤;图103:如封似闭;图104:十字手;图105:合太极。

易有太極圖

第六章　治标固本

　　中国传统养生文化的要旨之一在于正本、固本。本立则生，所以培植元阳是养生的根本所在。古人认为疾病源自正不压邪，邪气破坏了体内平衡。因此养病当培植元阳，扶持正气。为了固本长生，古人可谓煞费苦心，寻求与实验各种植物、金石，积累了丰富的药物知识。

唐代藏药盒

明仿宋针灸铜像

西汉医工铜盆

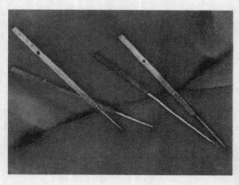

汉墓金针

一、正不压邪　疾病乃生

　　阴阳学说是古人认识疾病的哲学基础，古代医学认为人体是阴阳矛盾的统一体，当体内各方面能维持阴阳平衡时，就不会发生疾病。能维持体内平衡，抗御和消除各种有害因素的力量，称为"正气"。破坏体内平衡的称为"邪气"。当邪气侵入体内，导致阴阳失调，人就在气、血、阴、阳等方面不足，疾病就产生了。如果体内正气强盛，足以抗御邪气的侵袭，就能保证身体的健康，如《内经》所说："正气内存，邪不可干。"维护人体的正气、阳气就成为古代养生文化的一大特色。

　　古代医学认为致病因素主要有六淫、七情、饮食所伤和其他外伤及寄生虫。张仲景在《金匮要略》中指出疾病来自三方面，一为经络受邪，进入脏腑，此为内部致病；二为联系四肢九窍的血脉壅塞不通而致病；三为房室、金刃、虫兽所伤。清人石成金也说自得之病，要么风寒暑湿所感，要么酒色财气所伤。古代医学认为疾病来自以下方面：

　　一为外邪入侵。外邪主要指六淫，即风、寒、暑、湿、燥、火六气。《内经》说："风者，百病之长也"。寒为阴邪，会伤人体阳气，导致气血不畅。暑为阳邪，其性炎热，上升散发而开泄过度，则耗气伤津，扰乱心神。湿为阴邪，其性趋下而易伤人下部，阻碍气的运行而损脾阳，导致食欲不振。燥邪干燥，伤肺脏津液，不仅让人口干肤裂，而且引起大便干结。火为阳盛之气，易伤津液和扰动血分，导致发热、口渴和各种血症。

　　二为七情所伤。喜、怒、忧、思、悲、恐、惊为"七情"，七情"发而中节"，则不会引起疾病；如果情绪过于强烈或持久，就会导致剧烈的情绪变化而引发疾病。《内经》认为思虑伤心，会损坏膝部；忧愁伤脾，导致四肢无力；悲哀会伤肝，致使筋挛，两胁骨无力；狂喜无度，会伤肺，会损害皮肤；盛怒伤肾，使腰脊不能俯仰。从临床情况看，惊喜或恐惧会导致心悸，失眠，烦躁，惊慌不安，神志恍惚，甚至精神失常。

三为饮食所伤。饮食失宜也是导致脾胃疾病的重要原因。饮食不能过度，味道不能过重。"多食咸，则脉凝泣而变色；多食苦，则皮槁而毛拔；多食辛，则筋急而爪枯；多食酸，则肉胝厚而唇揭；多食甘，则骨痛而发落。"饮食不节，暴饮暴食，超过脾胃的消化吸收能力，就会出现厌食、吐泻等伤及脾胃的病症，如古人所说："饮食自倍，肠胃乃伤"。饮食不继，营养不良，身体虚弱，则正气不足而易感外邪。

四为过劳过逸。劳动可以锻炼身体，但过度劳累则四肢困乏，精神不振。贪图安逸，不进行适当的锻炼，会使气血运行迟缓，导致正气不足。

五为外伤、寄生虫。此为张仲景所说的为金刃虫兽所伤。

二、 药物调理　去邪扶正

人不可能无病，也不能不防病，药物可以扶正去邪，起到治病防病的作用。从养生的角度看，欲使体质强健，祛除病邪，有效调理自己，则需要熟悉药性、药的配伍、煎服方法，使药物的性能和疗效成分发挥作用。

1.防病为要

古代医学认为疾病的发生是因为外邪入侵、阴阳失调所致。只有善于调节自己的心情、饮食,劳逸结合,积极预防疾病,才能保证阴阳平衡,身体健康。《内经》要求谨慎观察阴阳所在而调之,以维持阴阳平衡;治病不治已病,而治未病。所以时时调节自己就是防病,要避免过劳、外邪所侵、饮食所伤等。《老老恒言》要求不要乱其耳目,劳其骨肉、血气,节制欲望,防止风、寒等外邪。因为"淆乱其耳目,即是耗敝其精神",当"静默安坐";因为"久视伤血,久卧伤气,久坐伤肉,久立伤骨,久行伤筋",当"以导引诸法,随其坐卧行之,使血脉流通";"男女之欲,乃阴阳自然之道",当节欲;"时疫流行,乃天地不正之气,其感人也,大抵由口鼻入",则"以衣袖掩口鼻,亦堪避疫";窗缝门隙之风,酷热雨后之热气,应避之;饮食不得急,饥不得大呼大叫,否则伤肺与胃;夏之北风、冬之南风等虚风,使温凉顿异,最为伤人,"当加意调养";"三冬天地闭,血气伏",应防止劳作出汗,阳气外泄。还告诫要注意日常小节,如"石上日色晒热,不可坐,恐发臀疮;坐冷石,恐患疝气;汗衣勿日曝,恐身长汗斑;酒后忌饮茶,恐脾成酒积;耳冻勿火烘,烘即生疮;目昏毋洗浴,浴必添障。"

2.治心为先

古人认识到,病从心生,疾病发生往往与人的心思过多过重相关。清代尤乘在《寿世青编》中指出因为放逸其心,不顾身体,用尽心思玩弄智巧,患得患失,过多地考虑礼节,贪图财利,所以导致身心疾病。因此当得病之后,必治其心,如此才是治其本。清代的石成金认为圣医能治疗人心,达到预防疾病的目的,而一般的医生只知道治疗人病,而不知疗人之心,是舍本逐末。虽然我们不赞同一切疾病由心所生的观点,但是身心相互影响,心理负担会导致身体疾病,生病时的心理压力会加重病情。

我国古代医学也正是从正心达到心静身康的目的。治心病的药方就是正其心,即"令其心不乱求,心不妄念,不贪嗜欲,不着迷惑";"慎起居,戒暴怒,简言语,清心寡营,轻得失,收视听"。心静则身康,若患病在身,则亦保持性情平和。尤乘的"却病十要"也可作为治心病十要:"一要静坐观空,万缘放下,当知四大原从假合,勿以此身为久安长住之所,战战以为忧也;二要烦恼现前,以死喻之,勿以争长较短;三要常将不如我者,巧自宽解,勿以不适生嗔;四要造物劳我以生,遇病却闲,反生庆幸;五要深信因果,或者夙业难逃,却欢喜领受,勿生嗟怨;六要室家和睦,无交谪之言入耳;七要起居务适,毋强饮食,宁节勿多;八要严防嗜欲攻心,风露侵衣;九要常自观察,克治病根之本处;十要

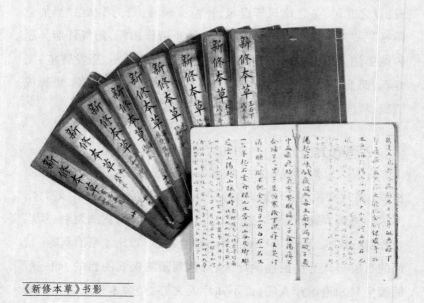

《新修本草》书影

觅高朋良友,讲开怀出世之言,或对竹木鱼鸟相亲,悠然自得,皆却病也。"

安定心理,就不要乱用药方。苏东坡说"安心是药更无方"。"凡病必先自己体察,因其所现之证,原其致病之由,自顶致踵,寒热痛痒何如,自朝至暮,起居食息何如,则病情已得。"病人当自己把握自己。

3.调补为主

疾病的发生过程乃是正气与邪气相互斗争的过程。疾病的发生、好转与否都取决于正气的强弱。使用药物的目的在于培元固本,补其不足,以正压邪。古人将病的范围分为风、寒、暑、湿、燥、火痰、虚、实。针对不同病邪用药,补其不足,祛其病邪,使阴阳归于平衡则身体恢复正常。如人体虚弱不足,或气虚,或血虚,或阴虚,或阳虚,则补以气,补以血,补以阴,补以阳。

当然,补要有针对性,不可乱补。补气一般针对久病或重病之后的病人,或体质虚弱,正气不足者,这些人常常疲倦乏力,呼吸短促,动则气喘,面色苍白,食欲不振,懒于言语;补血一般针对出血过多、患血液病、寄生虫病、营养不良者,以及产后或月经过多的妇女,这些人常常头晕目眩,心悸失眠,面色苍白,妇女月经量少而色淡;补阴常常针对阴虚者,诸如腰酸腿软,形体消瘦,口干舌燥,大便干燥;补阳针对阳气不足者,如畏寒肢冷,腰腿肚腹冷痛,口淡不渴,小便清长且频,夜尿偏多。

进补也有缓急之分、温清之别。人体虚弱不同,进补则有缓急之分。虚极者则要急补、强补,一般慢性虚弱者,则不可操之过急,当缓补。人体有偏寒、偏热之别,则进药有温、清之分,虚寒者温补之,虚热者清补之。

进药还要考虑年龄。中年处于由盛趋衰的转折期，当大为修理，重振根基。明代医学家张景岳说："人于中年左右，当大为修理一番，在振根基，尚余强半。"也就是说中年的调理对后半生的体质强壮有着非常重要的作用，中年应进补培元。老年人则要进药抗衰，因为进入老年期，机体功能衰退，抵抗能力下降。古人许多养生方具有抗衰老作用。如《证类本草》中明确标有"不老"、"延年"、"增寿"的抗衰老药物就有114味。现代医学研究也证明补肾健脾等补药能增强人的机体功能，延长人的寿命。

4.取药当心

药来自药店，所以取药要留意。一要留意药之"君臣"。中医用药有主辅之分，君为主，臣为辅，君药是方剂中起主要作用、治疗主症的药物，臣药则是起辅助作用的药物。清人石成金指出了"君臣佐使"的用药原

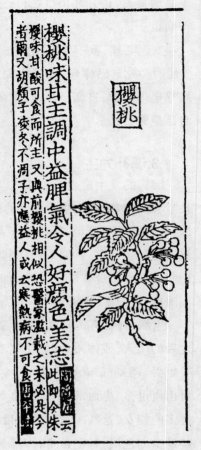

《证类本草》中所存樱桃的早期记载：《吴氏本草》曰：樱桃味甘，主调中益脾气，令人好颜色，美志气。一名朱桃，一名麦英也。

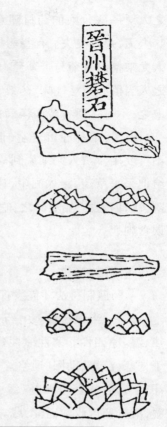

《证类本草》插图

礜石味酸寒无毒主寒热鼠瘘蚀疮死肌风痹腹坚邪气除热在骨髓去鼻中息肉铒服之轻身不老增年岐伯云久服伤人骨能使铁为铜一名羽涅一名羽泽生河西山谷及陇西武都

石门采无时其草为之使恶虎掌毒公蜀人又以当消石川谷河西来色青白生者名马齿礜黑者名礜石白礜皆作铜色外错铜色内黄不入药惟堪镀作以合熟铜投苦酒中涂铁皆作铜色外虽铜色内质不变仙经丹方亦用今不复用钅丹之丹方亦用和药皆先火熬令沸燥以疗痛多即坏齿昔伤骨之验而云坚骨齿诚为疑也本经云礜石有五

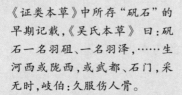

《证类本草》中所存"矾石"的早期记载，《吴氏本草》曰：矾石一名羽砠、一名羽泽，……生河西或陇西，或武都、石门，采无时，岐伯：久服伤人骨。

则，他告诫取药之人不要只注意各种药的贵贱，要注意主药的分量，防止店家惟利是图，贵者少与，贱者多与，达不到治疗目的。二要留心药材是否霉乱。"老医迷旧疾，朽药误新方"。石成金指出由于开店之人对一些价廉的药材随意收放,任其风吹,听其霉乱,结果气味全无,疗效丧失。有些药材相近,但药力相反,要辨明药力。清人尤乘指出真菊与野菊药力相反,"真菊延年,野菊杀人"。取药之人当留心药材气味、药效,药材的颜色,"尤须向诚实规矩之店取之,不可贪便省费而误病也。"

当然,草药亦可自制,但需要了解草药的生长环境和来源,不可妄用。清人尤乘说到一位船家,其仆患脚病不能行,便上山给他采来草药,浸入酒中,让仆服下,仆服下即呻吟,云胃肠如刀割,次日乃亡。船家异之,吃下余药亦死。原来该山上多断肠草,误食则死。

5.煎药有法

草药煎制得法才能发挥药效。

其一,当识药性。中药有四气、五味、升降浮沉。四气指寒、热、温、凉四性。寒性凉性药用于清热解毒、泻火;温性热性药用于祛寒、温里、助阳、通络。五味即辛、甘、苦、酸、咸,辛味药可发汗行气,甘味药可调补、缓中、解毒,苦味药能清热解毒、泻下燥湿,酸味药可收敛固涩,咸味药能软坚散结、润下。升浮之药具有发汗、催吐、升阳、散寒、止泻、宣通的作用,沉降之药则有敛汗、降逆、泻下、平喘、利尿的功用。煎制中药还要注意"七情合和"原则,即指单行、相须、相使、相畏、相恶、相反、相杀的七种配伍关系。"单行"即可单独发挥作用;"相须"指以功能相同的药物来增强疗效;"相使"即不同功用的药物相互促进;"相畏"即一种药物可抑制另一种药物的药性;相杀即一种药物可化解另一药物的性质;"相恶"即合用之药相互干扰,降低作用;"相反"即合用之药会发生不良反应,甚至有剧毒。不仅不同药物有不同

麦门冬

地黄

的性质,同一药物,其首尾、生熟、制法不同,药性也相异。石成金指出枣仁有养心安神、益神敛汗的作用,生可疗胆热好眠,而熟可疗胆虚不得眠;当归可补血养血、和血调经、和血止痛,但首尾疗效相异,当归首止血,尾破血,身则和血;牛膝苋科多年生草本植物,有活血通经、强筋壮骨、和血引下的作用,其熟可补肝肾,生则去恶血;枇杷叶晒干,刷去毛,洗净切条,可清肺止咳、降逆止呕,毛不净反而生咳;麦门冬不去心,则让人烦躁不安。

其二,**药与水的比例适中**。汉代的张仲景在《伤寒杂病论》中详细而全面地说明了煎药的方法。清人石成金说:药"二两内外,用水二大钟,煎至一钟",则谓适中。

其三,**把握火候**。火候体现了中和的文化观念,火候适中,药味才有速效。石成金说:"火候得宜,则药之气味不损,自得速效。"煎药时要细心看守,不可火急而水沸出,也不要煎过头而药枯。

其四,**不可二煎、酒煎**。有些人服二煎之药,以为有效力,实际上大谬不然。因为药渣已无药力。以酒煎药也是自欺欺人,因为酒味去,自然没有酒力。所以石成金建议最好是服药之后,饮酒数杯。

6.服药有方

服药应按不同病情、药的作用、病人的体质等,采取不同的方法服用。宋代《太平惠方》指出:"服饵之法,轻重不同,少长殊途,强赢各异,或宜补宜泻,或可汤可丸,加减不失其宜,药病相投必愈。"一般说来,有如下方法:

第一,空腹服药。药也靠脾胃转运,所以服药不可与饮食并行,《太平惠方》提出"食气消即进药,药气散即进食"的服药原则。

第二,服法对症。不同的病症有不同的服法。

第三,适于病情。张仲景在《伤寒杂病论》中说,煎出药三升,服一升。服一会儿后,喝热稀粥一升余,以助药力。用被盖一时许,令周身似有汗则佳,不可大汗淋漓,否则病不除。根据出汗情况决定服药多少。同时要注意汤药的冷热,《太平惠方》说:服汤药应温热服之,且两服之间要有适当的间隔。

第四,慎用助食。良药苦口,人们往往以粥、甜食助之,如果是补药,以龙眼、大枣等甜食解服药之苦,并没有什么妨碍,但若是止咳、发汗药则当慎吃甜食。石成金说:"发散汗下药,则因甜阻滞不效矣。"

第五,注意饮食。人生病往往影响饮食,应注意饮食调理,使饮食恢复正常。明末清初的吴又可在《瘟疫论·论食》中对传染病的饮食做了说明,有些传染病不伤及胃,应维护正常饮食。如果伤及胃,在恢复期,先半流质,再过度到正常饮食。服药还要注意饮食禁忌,不可随意饮食,以免丧失药力。如服发汗药时忌酸醋、生冷饮食;服滋补药时,忌食茶叶、萝卜。张仲景在《伤寒杂病论》中说服药,"禁生冷、粘滑、肉面、五辛、酒酪、臭恶等物"。忽思慧在《饮膳正要》指出,服药不可多食生芫荽、蒜及油腻之物,并且要避免与药物相冲突,如药中有术则不可吃桃李、蒜、青鱼等物,有黄连则不可食猪肉,有半夏、菖蒲勿吃糖和羊肉,有天门冬勿食鲤鱼,有茯苓勿吃醋,有商陆勿吃犬肉,有鳖甲勿吃苋菜等。尤乘在《寿世青编》中说羊血可以解药力,应禁食,"服饵之家,忌食羊血。虽服饵数十年,一食则前功尽丧"。

第六,与他法结合。服药还需要与其他养生方法相结合,如身体保健、按摩等。陶谷在《清异录》中说:"服饵导引之余,有二事乃养生大要,梳头、洗脚是也。"

当然,服药可以压邪扶正,欲使身体完全康复,还需要进一步调理。尤乘说:"凡一切病后将愈,表里气血耗在外,藏府精神损于内,形体虚弱,倦怠力少,乃其常也。宜安心静养,调和脾胃为要,防风寒,慎起居,戒恼怒,节饮食,忌房劳,除妄想,是其切要。"他指出了具体注意事项,如咳嗽发热则淡食,不要吃咸食;中风后,不要服辛三香燥等药,也不要吃猪、羊、鸡、鱼等发病之物;产后千万不能吃寒凉之物。

三、药物养身　固本培元

固本培元,健身延年,是我国古代养生家追求的目标。《神农本草经》就有"药分三品,上药长生,中药养性,下药除病"之说。古人寻求达到长生的草药,如战国时期的《山海经》记载了许多仙药,诸如水玉、松脂、百草花、云母。"赤松子,神农时雨师,服水玉以教神农,能入火自烧","赤将子舆,黄帝时人,不食五谷,而啖百草花",仇光"常食松脂",赤松子"好食松实、天门冬、石脂"。《汉武帝内传》就记有"松柏之膏、山姜、沈精、乌草、泽泻、枸杞、茯苓、菖蒲、门冬、巨胜、黄芩、云飞、赤版、调胶、朱英、椒麻、续断、葳蕤、黄连"等数十种延年药。而且古人大力渲染各种药物的延年功效,胡麻、灵芝、菊花、松叶、松实、松脂、茯苓等食之可以长生。如汉代的《神农本草经》将一些自然药物列为上品神药,如松脂,"久服轻身不老,延年";茯苓,"久服安魂养神,不饥延年";赤芝,"轻身不老,延年神仙";兰草,"杀蛊毒,辟不祥";天门冬,"杀三虫,去伏尸,益气延年";玉浆,"久服耐寒

丹　砂	雄　黄
矾　石	水　银

石 胆	当 归
茯 苓	麦门冬

暑,不饥渴,不老神仙"。《五符经》说:"胡麻,本生大宛,又名巨胜,服之不息,与世长存。"《论衡》说:"芝草一年三华,食之令人眉寿庆世,盖仙人所食。"《风俗通》记南洋郦县有甘谷,周围人家饮此谷中水,寿多在百岁以上,原因在于此水浸润了菊花。由是人们认为服食菊花可以延年。钟会的《菊花赋》云:"服之者长生,食之者通神。"松可长青,人食松子、松叶、松脂可长生,《神仙传》说:"偓佺好食松实,能飞行,速如走马。……(尧)时受服者,皆至三百岁。"《抱朴子·仙药》说赵瞿久服松脂,年一百七十岁,仍齿豪健,得寿三百余岁。

经过长期的医药实践,古人对各种药物的药性有了充分的了解,许多药物用来滋补身体,扶助人体正气,增强体质,提高抗病能力,延缓衰老。人有气虚、血虚、阴虚、阳虚不同,滋补亦有补气、补血、补阴、补阳之分。

补气药有人参、黄芪、白术、山药、黄精、紫河车等。

补血药有当归、熟地黄、何首乌、阿胶、龙眼肉、桑葚子、血鸡藤等。

补阴药有银耳、麦门冬、玉竹、枸杞子、女贞子、灵芝草、鳖甲等。

补阳药有鹿茸、鹿角胶、巴戟天、锁阳、肉苁蓉、菟丝子、杜仲、冬虫夏草、狗肾等。

补药的确能起到延年益寿的作用。清代康熙时,户部尚书王骘80岁了,仍身体硬朗,动作敏捷,康熙称他为"德福老翁"。有一天康熙皇帝问他吃了什么不药,他说:服过科道官陈调元赠送验方"萃仙丸",陈调元长服此药,80岁还生了一个儿子,96岁才去世。萃仙丸的处方为:白莲心、杞子、芡实、沙苑蒺藜、何首乌各120克,川断、莲肉、补骨脂、龙骨桑葚、金樱子、黄花鱼鳔各90

嵇康，三国时人，魏中散大夫，人称嵇中散。与王烈入山采药，得到石髓，味甘如饴，二人各食一半。王烈后成仙，而嵇为司马师所杀，所以说"所愿不得遂"。

薛昭，唐元和年代人。与申天师为友，申赠以仙丹一粒，云：此去当遇美女为妻。张云容是杨贵妃的侍女，死后身不坏。薛将仙丹给她吃，得以回生，二人结为夫妇。

任光，上蔡人，善饵丹。赵简子闻其名，聘往晋国，晋人常服其丹，治病强身。

邓伯元，东晋时人。学道于赤城霍山，服青精石饭，吞日精丹景之术。于永和元年（公元345年）正月乘龙上天。

克,韭子、覆盆子、山药、兔丝饼、核桃肉、白茯苓、人参各60克,加蜂蜜制成药丸,盐汤服送。

四、服食丹药 长生不死

人生苦短,何以长生?坚固其身,自然长生。炼制丹药最初还是为了治病强身,为了坚固形体。葛洪说:"夫金丹之为物,烧之愈久,变化愈妙。黄金入火,百炼不消,埋之,毕天不朽。服此二物,炼人身体,故能令人不老不死。此盖假求于外物以自坚固也。"也就是说只要坚固形体,让颜色永驻,就能长生不死,返老还童。坚固的办法就是炼制药物,这种药物本身具有坚固性。所以古人把目光投向了植物、矿物质。战国时期的《山海经》说:"方回,尧时人也,炼食云母";汉代的《神农本草经》说,丹砂"杀精魅、邪恶鬼,久服通神明,不老";云母,"久服轻身延年"。然而这些草石药物并不能长久坚固人的身体,更难阻挡衰老、死亡。为了达到长生不老的目的,人们开始自己动手,炼丹术便兴起。此术孕育于先秦,发生于秦汉,兴盛于魏晋南北朝,泛滥于隋唐,衰微于宋以后。先用矿物质炼仙丹,后用童男童女尿液炼秋石。

1.丹药炼制
(1)炼丹原料

炼丹的主要原料是丹砂、水银、黄金与药金、铅、砷、硝石、矾等。《抱朴子》有五石、八石之分,道教炼丹家为什么偏爱这些矿物质,把它们作为炼就长生不老丹药的原料?这与对这些物质的

出土丹药

信仰相关。

丹砂为珍品，可炼成黄金，从而可以益寿。《史记》载方士李少君说服丹可以长寿，晋代葛洪则说丹砂"烧之愈久，变化愈妙"，服之"能令人不老不死。"唐代道士陈少微进一步夸大其神奇，说丹砂是"万灵之主，造化之根，神明之本"。据现代研究，丹砂是一种低毒物质，长期服用可能会中毒，只有合理服用，才是安全可靠的药物。汉代《神农本草经》将丹砂列为上品药之首，称其能治"身体五脏百病，养精神、安魂魄、益气明目、杀精魅邪恶鬼，久服通神明不老。"其说与让人不老与炼丹求成仙的观念相一致。

黄金也是炼丹家崇拜的对象，"服金者寿如金"。葛洪将黄金列为仙药，陶弘景则认为黄金能"镇精神、坚骨髓，通利五脏邪气，服之神仙"。唐代更是推崇服食黄金。今天看来，黄金只是一种金属，与太阳无关，吞之不能消化，也就不可能有治疗效果。

铅、汞可以化为丹，被当作重要的药物。《周易参同契》以铅、汞为至宝大药，隋唐以后盛赞铅、汞，将铅、汞奉为至宝至灵，为大丹之基。《金丹秘要参同契》《丹论诀旨心鉴》等。

（2）炼丹工具

丹药自古以来就被视为神秘之物，炼丹同样神秘兮兮。丹室须择地而建，一般建在人迹罕至的深山而又临流水的地方。葛洪

炼汞图

说：先斋百日，沐浴五香，致加精洁，勿近秽污。炼丹家基本上是在名山之中过着与世隔绝的生活。华山、泰山、恒山、嵩山、太白山、峨眉山、终南山、灵台山、罗浮山等山皆可以作为炼就仙药的地方。如果不远离人群，就得高筑其墙，与人隔绝。

丹室筑好则砌成丹台。丹台分三层，以应天地人三才。下层高一尺二寸，阔五尺五寸；中层高一尺，阔四尺五寸；上层高八寸，阔三尺五寸。台上置炉、灶。炉以容鼎，鼎悬于炉中，灶以容釜。

鼎有多种，如金鼎、银鼎、铜鼎、铁鼎、土鼎等。铸鼎也有讲究，《云笈七签》要求避免"十病"：一，忌秋夏铁不精好。二，不悬胎铸。三，肚大。四，脚短曲。五，口大耳小。六，上下厚薄不均。七，沙窍漏气。八，不润滑。九，不依尺寸。十，铁皱。釜则"取耐烧土釜容三斗者，白赤无所在，唯令堪火不坼破者耳。"

（3）炼丹方法

丹药的炼法主要有两种，一种为水炼法，一种为火炼法。水炼法如《抱朴子》记载的丹砂水的制法："治丹砂一斤，内生竹筒中，加石胆、硝石各二两，覆荐上下，闭塞筒口，以膝骨丸封着，须干，以内醇苦酒中，埋之地中，深三尺，三十日成水，色赤味苦也。"火炼为主要炼丹法。《抱朴子·金丹》介绍了九还丹炼法："九转之丹者，封于土釜中，糠火，先文后武，其一转至九转，迟速各有日数多少，以此知之耳。"

2.秋石炼制

除了用矿物质炼丹，道士们还寻求其他的炼丹原料。童男童女的尿液成了炼丹的原料，以此炼出的丹名之为"秋石"，童男童女的尿液被称为龙虎水，故所炼就的丹也称"龙虎石"。秋石之名在东汉以前就已出现，唐代有的秋石为无机化合物，与黄牙、还丹相等同，如《丹论诀旨心鉴》说："秋是西方之位，石是兑长之名……淮南王号'秋石'，王阳得之名'黄牙'，太古真人名'还丹'。"唐以后的秋石基本上是用童男童女的尿液炼就的药。

宋代沈括记载了秋石炼法。

明代的高濂也记载了几种炼秋石的方法：阴炼法、阳炼法、乳炼秋石法。

由以上可见，阴炼秋石不用加热，阳炼须加热，乳炼则加猪油、人的乳汁。另外还有"取秋石冰片法"、"炼伏活黄芽法"、"取秋石汞花法"等。从秋石的炼制过程看，研究者认为秋石中有荷尔蒙制剂，很可能含有性激素。如果是这样，那么秋石能增强人的性功能。明代的嘉靖皇帝宠信道士邵元节、陶仲文等人，道士们为其炼就秋石，其服食恐怕只不过刺激性欲而已。但秋石与延年益寿的关系，至今还是个谜。今天还有人迷信尿液的神功，认为饮用尿液可以治病防病，强身健体。

3.丹药服食

古人认为人的生命在于形气神，丹药固其形，还要养其气与神。葛洪认为金丹大药、行气、房中术为长生成仙的主要方法，服食金丹固其本，行气可增强药效，房中则是合阴阳之气，三者结合才能长生。他告诫人们不要偏执一术。各种养生如同琴瑟，合用才能修养形神，延年愈疾，外攘邪恶，相反偏修一术是不可能达到的延年益寿的目的。服食丹药只是养生的一种方法，而不是全部的方法，服食丹药必须与其他方法相结合。

服用丹药亦有讲究，如服用五石散必须以温酒送服，以冷食压后。唐代孙思邈在《千金翼方》中也指出五石散性寒，当饮热酒,否则就会生百病。有时甚至丧命。晋代的裴秀因以冷酒送服而亡。

4.丹药功效

丹药的神奇药力为道士们极度宣扬,他们鼓吹服用丹药可以长生不死,返老还童,得道成仙。葛洪吹嘘服用丹药可以白发变黑发,老人变少年,而且炼得越久,其药力也就越大。

事实上,服丹成仙、长生不死只不过是幻想。帝王企图永享荣华富贵,是服丹药的先锋。两晋时,贾皇后服用了炼丹方士进献的"金屑酒",便肆意纵情,与太医程据等淫乱,而命丧于此。晋哀帝也是雅好黄老之学,习

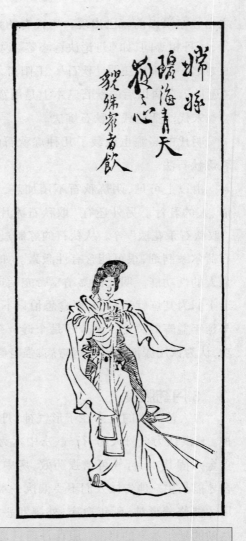

嫦娥
碧海青天
夜夜心
貌缘衆者飲

嫦娥,亦作恒娥。后羿妻,十分美丽。后羿向西王母求到不死之药,嫦娥偷吃后,飞升月宫。李义山《嫦娥》诗有"碧海青天夜夜心"句。

李世民像

断谷之术，服长生之药。服食过多而中毒，神志不清，死时不过 25 岁。

北魏道武帝拓跋珪虽有统一北方之功，但也热衷于道术，招揽道士。有位炼丹家张曜倍受宠信，任命他为仙人博士，为他设立仙坊炼丹。可是连出的丹药并不灵验。道武帝让囚徒试丹，囚徒不仅没有成仙，有的甚至身热腹痛而死。但道武帝仍执迷不悟，继张曜之后的道士便让他服五石散。服用之初还精神焕发，不久后道武帝难以自制，时常狂言乱语，情绪波动大，时而激动，时而沮丧，时而因情绪冲动而杀人，弄得朝廷人心惶惶，连太子也跑出宫廷藏了起来。他的小儿子拓跋绍听说道武帝要杀他的母亲，便乘道武帝熟睡之时杀了他。

唐代炼丹最盛，皇帝信之而服食者都不得寿终。唐太宗在即位之初还能自我克制，用心于政。可是到了四十八九岁顿感活力衰退，大动长生之心。50 岁时，有位自称二百岁的天竺方士能炼不死药。太宗便令广采奇药异石，供其炼制。天竺方士炼制的药有壮阳作用，太宗服药之初甚为满意，到第二年三月，身体突然崩溃，当年五月遂寿终正寝。其后继者重蹈覆辙。武则天服药后三年而崩，宪宗服后"躁渴"而亡，穆宗服了所谓真丹而死，宣宗服丹药后疽发背而逝，而武宗服药后喜怒无常。明代嘉靖皇帝希图长生，服了方士王金等人炼就的金石药，一年之后便命归黄泉。

好丹之风也盛于士大夫,达官贵人迷恋丹药。晋代名士服药成风,何晏、嵇康、王羲之、王弼、裴秀、皇甫谧等皆服石药。不过多为药所误,裴秀服用不当,断送了年轻的生命。唐代韩愈的女婿也死于丹药,唐末的李抱贞食丹药后腹胀而亡。丹药害人而仍有人趋之,所以时人有诗嘲弄。魏初有诗云:"服食求神仙,多为药所误,不如饮美酒,被服纨与素。"唐代有诗云:"堆金如玉已如山,又向仙门学炼丹。空里得来空里去,玉皇原不系绦环。"白居易也有一首《戒药》诗:"早夭羡中年,中年羡暮齿,暮齿又贪生,服食求不死。朝吞太阳精,夕吸秋石髓,邀福反成灾,药误者多矣。"

实际上,炼丹提炼出的药包含砷、汞、铅、铜、锡等金属化合物,其药性燥烈,几乎都有毒。这就是为什么服食丹药中毒而死的原因。如大量服用含砷的五石散就会导致严重后果。初服五石散会引起五种症候,其一,进食多;其二,气下,颜色和悦;其三,头、面、身瘙痒;其四,觉得策策恶风;其五,昏昏欲睡。人中砷毒后,会胃痛难食,皮肤干燥发疹,甚至溃烂,神志恍惚,知觉失常。既是危险又为什么趋之如鹜?研究认为含有砷的物质能引起人最初的兴奋,令人身体发热,给人短暂的安宁感,大有成仙的味道。含砷的五石散对人有三方面作用,其一,可治病。魏晋人服用的五石散又名寒食散,可以治虚劳、伤寒,唐朝的孙思邈在《千金翼方》中也指出五石散的疗效,"五石更生散,治男子五劳七伤,虚羸著床,医不能治,服此无不愈"。研究认为五石散具有镇心、定惊、平喘的作用,服之可以敛神。魏晋名士何晏服此药就医治了他的"气血不荣之症",服后性情开朗,体力增强。其二,可以美容。服用少量的砷元素可以促进人体的血液循环,刺激神经,可暂时使人面色红润,精神振作。魏晋以风姿品评人物,刺激了士大夫服药以美容。其三,可壮阳。实际上,含砷的丹药具有春药的性质,令人精神兴奋和身体亢奋。这可能诱使人们去追求丹药这一致命的东西,而且欲罢不能。晋代名士服用含砷的五石散,目的之一就是为了增强人的性功能。宋代的苏东坡说何晏生于富贵,服石药是为了帮助他满足性欲,认为从何晏开始,世人食钟乳、乌啄而纵酒色,求长年。

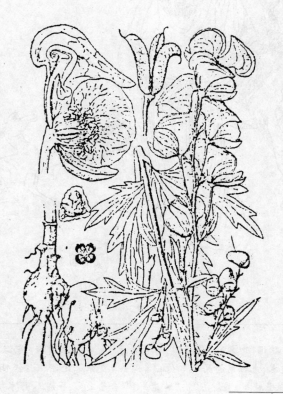

乌啄

魏伯陽

魏伯阳，名翱，号伯阳，自号云牙子。会稽上虞人。东汉人。喜欢道术，尤以炼丹著称。他以《周易》爻象来论述炼丹修仙之法，把炼丹术与"大易"、"黄老"参合会通，著成炼丹术奠基著作——《周易参同契》，人称万古丹王。

第七章　起居调息

　　起居就是作息，而调节好作息，是关乎身心健康的重要问题。古人讲："起居者，动止之纲纪。"为了达到健康长寿的目的，就需要遵循一定的生活要求，保持日常生活的规律性，所谓"起居有常"。这些有益健康的常规是我国养生文化的组成部分，它涉及人的居住环境、作息安排等方面。

陳希夷

归园田居

南北朝·陶渊明

少无适俗韵，性本爱丘山。
误落尘网中，一去三十年。
羁鸟恋旧林，池鱼思故渊。
开荒南野际，守拙归田园。

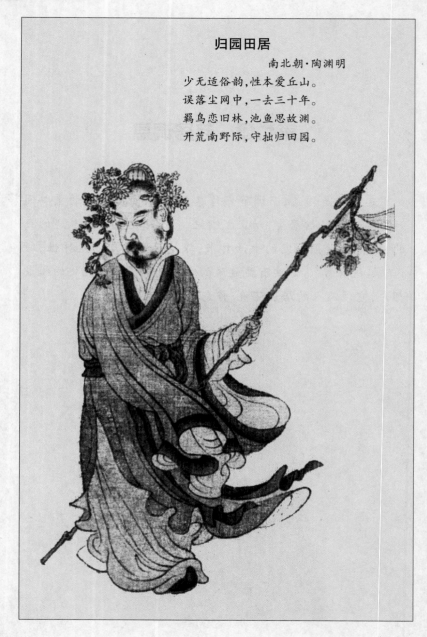

一、居住环境　安身怡心

我国古人认为住宅内外环境优美，生机盎然，就能宜其家室。在我国古代思想里，居室作为安身之所，当便于修身养性。荀子就认为居室只应用来遮蔽风雨，以便安居其中来修养道德，而不应追求外在的华丽。墨子更是强调居室的朴素，认为宫室之作，便于生活，不是为了观赏、娱乐。所以，居室的崇尚淡雅简朴成为我国古代文人的文化意趣。不仅要求居室情调和谐宁静恬淡，而且还考虑山水之宜。与山林为友、与风光为伴，这是志高气洁之士的一种追求。东晋时的诗人陶渊明就是到山水田园中寻找属于自己的乐趣，他用诗描绘自己的居处，"榆柳荫后檐，桃李罗堂前。暖暖远人村，依依墟里烟。狗吠深巷中，鸡鸣桑树颠。户庭无尘杂，虚室有余闲。"屋前桃李芬芳，屋后

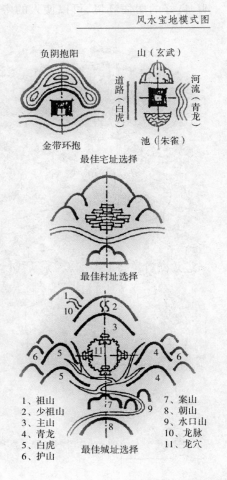

风水宝地模式图

负阴抱阳　　　　山（玄武）

道路（白虎）　　　河流（青龙）

金带环抱　　　　池（朱雀）

最佳宅址选择

最佳村址选择

1、祖山　　　　　7、案山
2、少祖山　　　　8、朝山
3、主山　　　　　9、水口山
4、青龙　　　　　10、龙脉
5、白虎　　　　　11、龙穴
6、护山

最佳城址选择

榆树葱葱，狗吠鸡鸣，一幅宁静、淡泊的田园风光。唐代诗人白居易被贬江州，亦是结草堂于庐山，而乐乎庐山的天然秀色，求得"外适内和，体宁心恬"。宋代的欧阳修说道"醉翁之意不在酒，在乎山水之间也"。宁静致远，淡泊明志，优美的自然风光可陶冶性情，净化灵魂，增进德性。实际上人与环境交互作用，良好的生活环境，有利于人的身心健康，能促进寿命的增长。科学研究表明，良好的居住环境，可以使人的寿命增加十至二十五年。

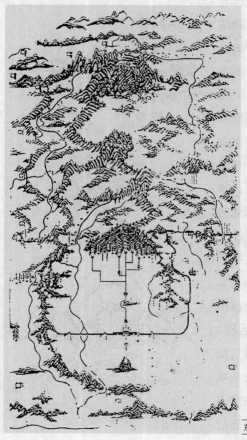

东陵风水形势图

为了达到修身养性、延年益寿的目的，古人特别强调室内外环境的和谐与生气。这也合乎阴阳学说。如讲究房屋背山靠水，高低错落，左右对称。《黄帝宅经》就指出住宅当合阴阳之说，"夫宅者，阴阳之枢纽，人伦之轨模"，应"以形势为身体，以泉水为血脉，以土地为皮肉，以草木为毛发，以舍屋为衣服，以门户为冠带"，如此相互和谐，则是好居处，会吉祥如意。所以，古人选择住宅地点一般要考虑山水、方位,住房大都要求依山傍水,坐北朝南。孔子说:"知者乐水,仁者乐山。知者动,仁者静。知者乐,仁者寿。"相地术认为地形有四美,一美罗城周密,周围被山水簇拥;二美山水内湖;三美明堂宽敞;四美一团旺气。

其一,要依山傍水。水动山静,二者相宜。"空山新雨后,天气晚来秋。明月松间照,清泉石上流。"月色斑斓,山间泉流,怎不令人心旷神怡。"水光潋艳晴方好,山色空濛雨亦奇",山色迷濛,水波荡漾,怎不叫人魂牵梦绕。所以山水相宜乃人间乐处。古人认为住宅周围的水最好是环绕而过。相地术把水分为六种,一为朝水,如九曲水;二为环水,如腰带水;三为横水,如一字水;四为斜流水,五为反飞水,六为直去水。以前三种为最好。秀水绕前横过,房主清闲乐和,秀水朝门,房主发横财。水近割门,房主不安;水直冲门,主人离散。如果水能增加灵感,山则使人虚静。古人认为背后是山,前面开阔为佳境。前面开阔,即所谓明堂宽敞。

其二,要坐北朝南。之所以要坐南朝北,是因为利于采光。阳光直射室内,则室内豁然开朗,使人心情舒畅。而且阳光可以杀菌,清洁空气,增高室温。为了便于采光,还要讲究房间高低适宜。唐代司马承祯在《天隐子·安处》中要求房屋"南面而坐,东首而寝,阴阳适中,明暗相半。屋无高,高则阳盛而明多,屋无卑,卑则阴盛而暗多。明多则伤魄,暗多则伤魂"。即房屋明暗参半,阴阳适中,高低适宜。房间太高或太低,太明或太暗都不好。

其三,要有旺气。实际上,所谓旺气只不过是周围环境的生机状况,生机勃勃就是有旺气,亦即风水术所说的"望气"。宋代的黄妙应在《博山篇》中说:"既明堂,要识堂气。一白好,五黄好,六白好,八白好,九紫好,此为五吉。又忌四凶:二黑宜忌,三碧宜忌,四绿宜忌,七赤宜忌。"这告诉我们明亮之色带来生机,而暗色让我们感到杀气。明人缪希雍指出凡是山上紫气如盖,苍烟漂浮,云蒸霭霏,草木繁茂,色泽亮丽,流泉清澈,土地肥沃,石润而明,就是生气旺盛。反之,云层不高,色泽暗淡,山崩坡裂,石枯土燥,草木零落,水泉干涸,则无生气可言。所以,住宅应选在满目生机之地,也只有居住生机勃勃之地,才能调动人的生命力量。

除了考虑望气外,我国民间选房址还讲究纳气,纳气指纳地气、门气,地气、门气旺盛则得福。如果气从克方来则宅受克;气从生方来则宅受生。应该说纳气有一定道理,如潮气过重则损伤人的身体,即是受其克。今天看,要考虑居室的湿度与通风情况,湿度过大,则会感到郁闷,湿度过低,则会口干舌燥。与此相应,湿度大则通风要好,反之可以减少通风。

其四,植树种花。树木花卉既可增加氧气,也可陶冶情趣。唐代名医孙思邈晚年在居住地植树种花修池,自得于此而长寿。清代养生家曹庭栋也在城中开园,种白皮古松数十株,以听风涛为趣,至九十乃终。

其五,室内布置。室内布局要适宜,且所陈列之物为自己所喜。宋代的欧阳修自称"六一居士",其居室中有六物,藏书一万卷,集录三代以来金石遗文一千卷,古琴一张,棋一局,案头酒一壶,外加自己一老翁,成六一之数,并以此为乐。明代的高濂对书斋有一番见解,他说,书斋应明静,不可太敞。明净可爽心神,宏敞会伤眼力。窗外四壁,薜荔满墙,中间放松桧盆景,或放剑兰,让书房周围郁郁葱葱,生气盎然。斋中设长书桌,左置榻床,右列书架,壁挂古琴,书房中画,山水为上,花木次之,禽鸟人物不可。所以,整个书房外则草木葱翠,内则琴棋书画。清代的李渔对厅堂和书房的墙壁发表了自己的见解。厅堂的墙壁不可太素,也不

朱子家训

清·朱柏庐

黎明即起，洒扫庭除，要内外整洁；
既昏便息，关锁门户，必亲自检点。
一粥一饭，当思来处不易；
半丝半缕，恒念物力维艰。
宜未雨而绸缪，毋临渴而掘井。
自奉必须俭约，宴客切勿留连。
器具质而洁，瓦缶胜金玉；
饮食约而精，园蔬愈珍馐。
勿营华屋，勿谋良田。
三姑六婆，实淫盗之媒；
婢美妾娇，非闺房之福。
童仆勿用俊美，妻妾切忌艳妆。
祖宗虽远，祭祀不可不诚；
子孙虽愚，经书不可不读。
居身务期质朴，教子要有义方。
莫贪意外之财，莫饮过量之酒。
与肩挑贸易，毋占便宜；
见贫苦亲邻，须多温恤。
刻薄成家，理无久享；
伦常乖舛，立见消亡。
兄弟叔侄，须分多润寡；
长幼内外，宜法肃辞严。
听妇言，乖骨肉，岂是丈夫？
重赀财，薄父母，不成人子。
嫁女择佳婿，毋索重聘；
娶媳求淑女，勿计厚奁。
见富贵而生谄容者最可耻，

遇贫穷而作骄态者贱莫甚。

居家戒争讼，讼则终凶；

处世戒多言，言多必失。

毋恃势力而凌逼孤寡，

毋贪口腹而恣杀牲禽。

乖僻自是，悔误必多；

颓惰自甘，家道难成。

狎昵恶少，久必受其累；

屈志老成，急则可相依。

轻听发言，安知非人之谮诉，当忍耐三思；

因事相争，焉知非我之不是，须平心暗想。

施惠无念，受恩莫忘。

凡事当留余地，得意不宜再往。

人有喜庆，不可生妒嫉心；

人有祸患，不可生喜幸心。

善欲人见，不是真善；

恶恐人知，便是大恶。

见色而起淫心，报在妻女；

匿怨而用暗箭，祸延子孙。

家门和顺，虽饔飧不继，亦有余欢；

国课早完，即囊橐无余，自得至乐。

读书志在圣贤，非图科第；

为官心存君国，岂计家身？

守分安命，顺时听天。

为人若此，庶乎近焉。

可太华丽,可挂名人字画,书房之壁最宜潇俪,忌油漆。为了增加情趣,古代文人为自己的居室取有雅名,如苏轼谪居黄州,修一堂名为"高寒";辛弃疾受到排挤后,退居上饶,辟空地为田亩,于高处造一室,名叫"稼轩";南宋理学家朱熹在福建建阳有一书室,题为"晦庵",意思是"目晦于根,春容华敷;人晦于身,申明内腴",以勉励自己成为有道德涵养的人。

其六,室内气色。室内的气色则是人为的,也就是说因为人的居住而形成的精神气氛。唐代的刘禹锡作《陋室铭》,说明了居室主人的高风亮节也会使陋室大放异彩,"山不在高,有仙则名;水不在深,有龙则灵",室不在华,有德则爽。有德之人会造就出室内雅致洁净的色彩。室内明窗净几,物用井然,给人以鲜明之感,此色泽就吉祥。反之,室内一片狼藉,满目灰尘,则色泽暗淡,是不祥之兆。因为脏乱的环境往往让人心绪不宁、易怒。因此要养成良好的生活习惯,使生活过得井井有条。儒家把洒扫庭院作为一项修德养性功夫,《朱子家训》要求子弟每天早晨起床后打扫庭院,"黎明即起,洒扫庭除",要求孩子"自冠巾、衣服、鞋袜,皆须收拾、爱护,常令洁净、整齐。"室内干净整洁则人气旺盛。不仅如此,古人还注意对室内采取苍术、雄黄烟薰来消毒。

由以上可见,居住当山水相宜、坐北朝南、通风明敞、色泽吉祥。如此则人气旺盛,适于颐养。宋人刘祁说其住宅,四面环山,数河而过,白天云蒸霞蔚,千姿百态;夜晚微风送爽,使人神清不寐。每天寻味于风光,其乐如世外,虽敝衣恶食而不知。

居住有所宜,也有所忌。住处当便于出入,忌无通道,且有人家为邻。房屋四周被封,如此为"囚居",不吉。所以房屋周围要有路可通。袁采说:"屋之周围,须令有路,可以往来",又说:"居宅不可无邻家,虑有火烛,无人救应。"有通路,有邻家,心理才安逸。房屋周围还宜广植树木,但忌植梓、桑、柳、桃、槐树。古人认为梓木常做棺材,梓以送死;桑与丧音同则不吉,还认为桑有淫乱之义;柳常装饰棺车帷盖,且插于墓前,亦不吉;桃树虽可避邪,但其果为红色,为鬼怪所喜;槐树为三公九卿,当植于庭前,不宜房后。在我国民俗看来,宅东有杏主败,宅西有李主淫。东植桃杨,南植梅枣,西栽栀榆,北栽杏李,则大吉;东杏西桃,北枣南李,栽植失宜,谓之邪淫;门前桃杏,贪花酗酒。当然,这些植树禁忌并无科学依据,只可作笑谈。

二、起居有常 睡眠有方

如果想养生,就要过有规律的生活,保证充足的睡眠。古人认为作息应该顺应自然,保持与自然相适应的节律,同时注意睡眠的方法,保证高质量的睡眠。

1.作息有规

人的衰老与起居无常相关。《内经》就告诫起居无常会折损寿命。管子说:"起居不时,饮食不节,寒暑不适,则形累而寿命损。"因此,起居要遵循一定的原则,如孙思邈所说:"善摄生者,卧起有四时之早晚,兴居有至和之常制。"所谓"常制",实际上就是顺应自然,随自然变化调节作息。一要顺应外界自然变化;二要体内节律。《内经》就提出了随四时调息的"常制":春天万物复苏,人当夜卧早起,放松形体,舒畅神志;夏天草木繁茂,百花开放,人当夜卧早起,享受白日,疏泄夏气;秋天果实累累,人当早卧早起,与鸡俱兴,精神内守;冬天天寒地冻,人当早卧晚起,与日同兴,保守阳气。

除了顺应外界的自然,还遵循体内的节律。古人认为体内精气运行有其时,子时气走胆经,丑时气走肝经。寅时气走肺经,卯时气走大肠经,辰时气走胃经,巳时气走脾经,午时气走心经,未时气走小肠经,申时气走膀胱经,酉时气走肾经,戌时气走心包经,亥时气走三焦经。人的作息当与体内的节律保持一致。

顺应自然是一个基本要求,并不是非要达到"日出而作,日落而息"不可。今天有的人习惯早睡早起,有的人习惯迟睡迟起,只要形成规律,亦未尝不可。但最好不要日出而息,日落而作。

2.睡眠有方

人的一生有三分之一的时间处于睡眠中,这三分之一的睡眠对维持另外三分之二的活力意义重大。高质量的睡眠能增强生命力,使人精力旺盛。古人说能吃能睡就能长生,"眠食二者为养生之要务"。改善睡眠就是延续生命,寻求安睡之方就是寻求长生之道,有诗云:"华山处士如容见,不觅仙方觅睡方。"其方即是布置好卧室,选择好卧具,有正确的睡卧姿势和方位,有良好的睡前习惯。

(1)卧室

古人住房贯穿了阴阳调和原则,春天应门窗开放,使空气流通;夏天宜通风降温;秋天要保持一定湿度以防燥;冬天可适当严密以防寒。如果天暗则开窗,太明则放下窗帘。卧室也要求明暗适中,通风良好,不湿不燥,达到心、眼舒适,如唐代司马承祯所说"内以安心,外以安目"。心目皆安,则身安,才会有高质量的睡眠。古人还认为卧房为退藏之地当密,因此门宜窄。清人曹庭栋要求窗、门应严密之,"勿使通风隙",尤其是北方。若是夏天酷热,卧房只在清晨开启窗户,以散一夜之郁闷。日出后则密闭,还要放下帷布遮隔,不透微光,这样可避免疾病侵入。

曹庭栋也要求卧房杜绝湿气。如果卧室阴暗潮湿,人就会焦虑、情绪不稳、抑郁。情绪不稳就会干扰睡眠。所以古人说床宜高使地气不及,而且要保持室内干净。

(2)床枕

床铺当以软硬适中为宜。明代的高濂在《遵生八笺》中提出了冬夏皆宜的"二宜床",以阔板为床铺,并"四时插花,人作花伴,清芬满床,卧之神爽意快"。应该说宽阔的木板床铺对身体有益,尤其对发育中的婴幼儿童。小孩长期睡软床容易使胸腰部骨骼畸形。同时床垫可厚,如此可得清人石成金所说高卧之乐,他说他在斋中设棕榻,夏则铺毡加簟,冬则去簟添褥,再以蒲花褥铺盖浮面。静卧其上,柔纯绵软,任我转侧伸舒,只觉得身心快乐。

枕宜高低适当,低损目,高令项酸;高损肝,低损肺。枕头的高低应在侧卧时恰与肩平,这样仰卧时觉得安舒。枕头有石枕、菊枕、药枕等,不同枕头有不同功效,石枕可以明目,药枕可以治疗相应的疾病。如绿豆皮枕可以清热,茶叶枕可以除烦,菊枕可以清头目,藤枕则凉爽。

(3)睡眠姿势

古语说"寝不尸",即不仰卧;又说"站如松,坐如钟,卧如弓",卧如弓即是曲身侧卧。石成金在《长生秘诀》中说到屈膝侧卧的好处,可以益人心志,让人精气不散。

希夷《睡诀》指出了左右侧卧的方法,"左侧卧屈左足,屈左臂,以手上承头,伸右足,以右手置右股间,右侧卧反是。"对于左右侧而言,一般主张右侧卧。《老老恒言》曰:"卧宜右侧以舒

调和真炁五朝元，
心息相依念不偏，
二物长居于戊巳，
虎龙蟠结大丹圆。

左侧卧图

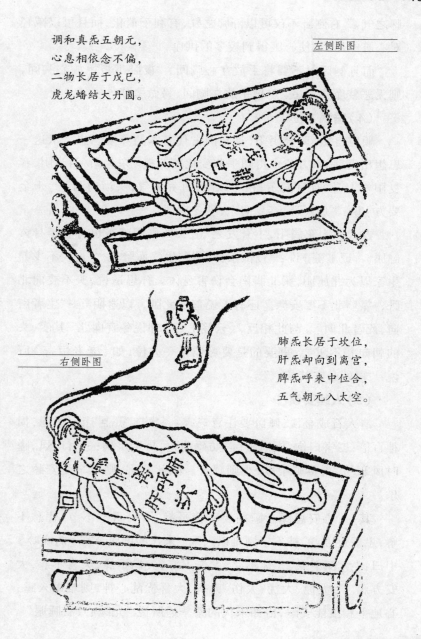

右侧卧图

肺炁长居于坎位，
肝炁却向到离宫，
脾炁呼来中位合，
五气朝元入太空。

脾之气。"右侧卧不仅可以舒脾之气,有利于消化,而且可以减轻对心脏的压力,使心脏得到较多的供血。

而且侧卧时不要将手放在心胸间,"夜卧不将手放心胸间,则无恶梦魔迷之患"。把手放在胸间,易做恶梦。

(4)睡眠方位

顺应自然、调合阴阳,是我国古代基本的养生思想。从这一思想出发,睡眠方位也得随季节变化而调整。东为阳,西为阴,春夏阳气上升,首宜向东;秋冬以藏,宜养阴气,头当向西。《千金要方》说:"凡人卧,春夏向东,秋冬向西。"

古人认为东属阳,主升发之气,头四季都朝东也有利于身体健康。《记玉藻》说:"寝恒东首,谓顺生气而卧也。"古代不少养生家以为北属阴,头北脚南会伤害身体。孙思邈说,头不要向北卧,靠墙北不要安床。还有人说首勿北卧,以避阴气,"生者南向,死者北向"。与此相反,《云笈七签》却说冬宜向北。其实,头的朝向并不重要,重要的是要习惯某一方位,如《老老恒言》所说:"寝处必安其常。"

(5)入睡要领

清人石成金说,睡卧要注意三害:一害曰思,卧床而思虑,损神百倍;二害曰饱,饭后睡卧,妨碍消化,易生疾病;三害曰风,睡时风寒易入,重则中厥,小则感冒。除此三害,则可享受安睡之乐。

其一,心安思睡。睡前要心情平静,不可喜怒不节,忧愁不解,思虑过度,心神不宁则难以入眠。宋代的邵康节在《能寐吟》中曰:"大惊不寐,大忧不寐,大伤不寐,大病不寐,大喜不寐,大安方寐。"大惊、大忧、大伤、大病、大喜扰乱心神,则难以入睡;心地平和就能安睡,恰如宋代的蔡季通所说"先睡心,后睡眼"。

清人石成金说"凡睡下就要一心安稳思睡,不可又复他想事务。只先睡心三个字,即是极妙睡功。"《老老恒言》还具体介绍了促进心神安定的"操纵二法":"操"即是"如贯想头顶,默数鼻息,返观丹田之类,使心有所着,乃不纷驰,庶可获寐。""纵"即是"任其心游思于杳渺无朕之区,亦可渐入朦胧之境。"也就是可默数鼻息以安心,也可让任其遐思,使人朦胧,自然入眠,"最忌者,心欲求寐,则寐愈难。"

其二,不宜饱食而卧。睡眠时消化功能减弱,饱食即卧,会加重消化负担,使人难以深睡。所谓"胃不和睡不安","少吃一口,舒坦一宵;多吃一口,半夜不宁"。

其三,饭后睡前宜动。饭后散步可以健胃消食,加快睡眠速度。《老老恒言》说:"饭后食物停胃,必缓行数百步,散其气以输于脾,则磨胃而医腐化。"《紫岩隐书》说:"行则身劳,劳则思息,动极而返于静"。

其四,睡前洗脚。我国古代有"睡前洗脚,胜吃补药"之说,将睡前洗脚作为重要的养生方法。其实,以温水洗脚,脚暖则周身舒适,可抑制大脑兴奋,易于入睡。陆游一生坚持睡前洗脚,他在82岁仍写诗提倡,"洗脚上床真一快,稚孙渐长解烧汤"。苏东坡也认为睡前洗脚能促进人长寿,睡前洗脚能提高睡眠质量,其有诗云:"主人劝我洗脚眠,倒床不复闻钟鼓";"脚是人之底,一夜一次洗"。洗脚时,搓揉脚心,可安定心神,诱人入睡。古人云:"梳头沐脚长生事,临睡之时小太平。"

其五,闭口而卧。古人认为闭口可以固气,开口而眠则伤害牙齿。石成金说,夜卧经常练习闭口,是固养元气的好办法。睡而张口者,牙齿无不早落。

其六,不可蒙头而卧。"夜卧不以被覆头面,则气得清转,必主长寿。"

其七，夜间起床当拍胸。夜间起床小解或有其他事，当拍胸以热其身。石成金说，如果夜间有事，或者因小便而起床，在出被前拍心胸三五掌，然后穿衣起身。这样可以防止睡热之身骤遭寒凉，而患感冒诸病。

总之，每夜睡眠当调养身体，注意禁忌古人有睡眠十忌，一睡不可仰卧、二睡不可忧虑、三睡前勿恼怒、四睡前勿进食、五卧不言语、六睡卧不对灯、七睡时勿张口、八睡时勿掩面、九卧处勿当风、十卧勿对火炉。

3.睡功养生

睡功即是一种游思，到达似睡非睡、睡而不睡的境地。宋代陈抟跟一道士习睡功健身之术，能一睡数月，不动、不食、不饮、脉搏不息，面色红润。其法如其诗《对御歌》中说。又有诗说："至人本无梦，其梦乃游仙。真人亦无睡，睡则浮云烟。炉中常存药，壶中别有天，欲知睡梦里，人间第一玄。"

《性命圭旨全书》提出"五龙盘体之法"的睡功，其诀为："东首而寝，侧身而卧，如龙之蟠，如犬之曲，一手曲肱枕头，一手直摩脐腹，一只脚伸，一只脚缩。未睡心，先睡目。致虚极，守静笃。收神下藏丹田与气合，水火互相溶溶，则神不外驰，而气自安定，神气自然归根，呼吸自然含育，不调息而息自调，不伏气而气自伏。"其实是守静之法。

苏轼亦精于睡眠养生，提出睡卧三昧之功。他说我刚睡时，在床上安置四体，无一不稳处，若有一未稳，须再安排令其稳。稳后，或有小倦痛处，略略按摩，便瞑目听息，四体若痒，亦不可蠕动，务在定心胜之。如此一会儿，则四肢百骸无不和通。睡思既

陳希夷

对御歌

宋·陈抟

臣爱睡,臣爱睡,不卧毡,不盖被;片石枕头,蓑衣铺地。震雷掣电鬼神不惊,臣当其时正鼾睡。闲思张良,闷想范蠡,说甚孟德,休言刘备,三四君子,只是争些闲气。怎如臣,向青山顶上,白云堆里,展开眉头,解放肚皮,且一觉睡,管甚玉兔东升,红轮西坠。

>>

至,虽寐不昏。我每天一定在五更初起床,梳发数百次,再摩面,穿上衣服,在一净榻上再用此法假寐。数刻之味,其美无涯。通夕之味,殆非可比。这就是初睡安四体,四体既安则安心,身心俱安则熟睡,醒来梳发摩面。天天如此,则睡眠安妥。

三、大便通畅　小便洁清

大小便是人的排泄的主要方式,排泄通常无碍是身体健康的标志。而保证大小便的通畅,则是养生的重要内容,为古代养生家所重视。

1.大便通畅

俗话说:"大便一通,百病轻松。"古人认为弃其陈,用其新,则精气日心,邪气日去,才能尽其天年。汉代的王充说:"欲得长生,肠中常清,欲得不死,肠中无滓。"排除肠中的陈滓,就是养生之道。排便:

一要自然。养生之道贵在自然,大便不能强忍,也不能强迫,有便则排之。强忍大便会引发痔疮,甚至导致便秘,损伤人的元气。孙思邈在《千金要方·道林养生》中说:"忍便不出,成气痔"。无便而强便,或便不急而努之,则让人腰痛目涩。

二要提肛摩腹。古人云:"谷道宜常提"。可预防便秘和痔疮。还要常按摩腹部,可增强消化吸收功能,加强大小肠的蠕动,疏通大便。

三要体察大便。大便的颜色、浓淡、次数与身体的健康状况相关,表示人的身体是正常,还是有热症、寒症。大便干结难解,多为实症、热症；老人或孕妇大便困难且不甚干，多为血少津亏或气虚；《老老恒言》说："大便溏泄，其色或淡白，或深黄，亦寒热之辨。黑如膏者，则脾败也，是当随时体察。"

四要便后进食。便后进食少许以补充能量，饱而便后则进汤食以和其气。《老老恒言》说，每次大便后，要进少许食物，这样可以弥补便后的疲乏。如果饱后即大便，可进汤水以和其气。

2.小便洁清

小便洁清是健康的标志。苏轼在《养生杂记》中说："要长生，小便清；要长活，小便洁。"

（1）注意饮食

饮食得当，则小便通畅。《老老恒言》介绍了四种饮食影响小便通畅的方法，一是食量少、消化快，则小便清浊易分；二是食物滋味淡薄，不油腻，则小便渗泄不滞；三是饭后长时间才饮汤水，胃空虚，则水不归脾，气达膀胱；三是待渴而饮，乘微燥以清化源，则水以济火，小便更为流畅。

（2）勤排尿

勤排尿，则身体轻松；强忍不排会损伤肾和膀胱，引发疾病，导致膝冷麻痹等病症。孙思邈在《千金要方·道林养生》中告诫人们，忍尿不便，膝冷成痹。也指出强忍大小便的危害。

（3）不可强便

小便宜顺其自然，有便则便，无便勿强便，小便时也不必用力迫之。努力小便会造成膝冷、小便不通等病症。孙思邈说，小便强拉，令两足膝冷。《老老恒言》说："小便时亦不可努力，愈努力则愈数而少，肾气窒塞，或成癃闭。"

（4）便势随宜

便势以利便为宜,怎样便起来通畅,就怎样便。不过饥饱不同,便势相异,其意亦在通利。古人认为"饱则立小便,饥则坐小便",原因在于"饱欲其通利,饥欲收其摄也"。

（5）开眼咬齿

古人认为眼中黑睛属肾,开眼可散肾火;牙为肾骨,紧咬牙,可以固齿。《老老恒言》曰:"眼而溺,眼中黑睛属肾,开眼所以散肾火","紧咬齿而溺,齿乃肾之骨,宣泄时,俾其收敛,可以固齿"。石成金亦要求小便时"宜紧闭口齿,则无牙痛之患。"

（6）时察小便

小便的颜色、频度标志人的健康状态,尤其要注意。一般小便短少、深黄,多是实症、热症;小便清长,多为虚症、寒症;尿混浊、尿流不畅或尿痛为湿症;尿频数不尽为气虚或肾虚不固。《老老恒言》指出,小便太清而频则是多寒,太赤而短则是多热,赤而浊,着地少顷,色如米泔者,则热太甚。小便太清而频,是因为身体不暖,颜色赤则因为身体热,可能有炎症。

四、四季调理　随时而安

人是自然的一员,接天地之气,宜当顺应自然变化,调养自己。《内经》说:"智者之养生也,必顺四时而适寒暑,和喜怒而安居处,节阴阳而调刚柔,如是则僻邪不至,长生久视。"怎样顺应四时而调养自己?我国元代丘处机的《摄生消息论》、清人石成金的《长生秘诀》、尤乘的《寿世青编》等著作对四季摄生都做了说明。下面分四季述之。

1.春季摄生

冬天阳气闭藏,而春天万物萌发,人之阳气亦渐发于外。所以春天当发散阳气而舒畅之,应早起,多活动,多舒展四肢;同时防止凉背。

一要注意除郁护背。春天万物生长,当舒展,以除冬日之郁;同时初春乍暖还寒,应注意护背,防肺部感染。《摄生消息论》要求人们在春日融和之时,眺望园林亭阁开敞之处,抒发郁闷,以畅生气;注意天气寒暄不一,不要骤然去掉棉衣。《寿世青编》要求春天注意护背,棉衣晚脱,不要让背着寒。寒会伤肺,鼻塞咳嗽。如果觉得热即去棉衣,冷则加之,加减俱在早起之时,且春天不可衣薄,衣薄会让人得伤寒、霍乱。

二要注意护头脚。春天意味生气勃勃,应乘生气保养头脚。《养生论》要求人们在春天每日早晨梳头一、二百下,到夜卧时,以盐热水洗膝下至足,这样可以泄其毒,通血脉。《云笈七签》要求春天睡卧宜头向东方,以乘生气。

三要防风湿。《千金翼方》指出春夏之交,雨水多,空气潮湿,易患风湿,因此要防风湿,若患风湿可服五苓散。

四宜多活动。春天万物生长,人当多活动四肢,清人石成金说:"春三,乃万物发生之时,频宜步行,以和四肢,不可郁郁久坐也。"

2夏季摄生

夏天万物繁茂,阳气在外,伏阴在内,当静心调理,自然纳凉,注意饮食,注意护头护肚,保持身体干燥和衣服干爽。

其一,饮食宜温忌生冷、过饱。生冷食物会使腹中受寒,引发疾病,老人尤其注意。应多餐,不可过饱,也不要吃油腻食物。《摄

虚治夢中洩精仰

静卧右手枕頭左

天手捏固陰處行

師功左腿直舒右

睡腿拳曲存想運

功氣二十四口

生消息论》告诫,夏季不要吃冷淘冰雪、蜜水、凉粉、冷粥,饱腹受寒,会生霍乱,还要少食瓜茄生菜。因为冰冷食物、生菜属阴,会使腹中受阴气影响,而结症块。所以,每日应饮食温暖,不要大饱,时时进之。石成金也说:"夏至以后至秋分,须慎肥腻饼臛油酥之物,盖此物与酒浆瓜果相妨,病多由此而起。"

其二,**自然纳凉**。夏天热,当心静,心静自然凉;纳凉宜在空敞处,自然让身体清凉,不要在过道处纳凉。《摄生消息论》告诉我们不要在檐下、过廊、弄堂、破窗等处纳凉,这些凉风伤人最厉此,应在虚堂净室,水亭木阴洁净空敞之处,自然纳凉。还要静其心,常如冰雪在心,心静自然凉。《参赞书》也告诫我们,大热天从外回来,不可用冷水洗面,否则有害眼睛。伏热在身,不得饮冷水及以冷物激身,这样会致命。石成金也说,夏天不要在渗湿处铺单席而卧,也不要躺在冷石冷地上图凉快。因为渗湿透入筋脉,则会面黄目浮,股膝肿厥,如果侵入体内,则会胀满泄泻,头重身疼。他还说,夏天不要穿单衣坐冷石,这样寒气侵害外肾,女人寒气入血室,则会经不如期,或经行腹痛。也不要坐在晒热的砖石上,以防热毒侵肤,否则会患坐板疮或生毒疖。

夏天要保持身体干燥,浑身是汗,不可当风而卧。这样会导致手脚麻木,四肢瘫痪。《摄生消息论》说:"贪凉兼汗身当风而卧,多风痹,手足不仁,语言蹇涩,四肢瘫痪。"汗湿的衣服也不能久穿,石成金说:"夏月汗湿衣服,不可久着,令人发疮,须频频洗换为佳。"而且晒热的衣服宜候其凉,不可即穿,"凡日晒热衣服即穿着,轻则汗斑,重则暴病。"

其三,**当护头**。要常梳头,不要当风梳头。如此,可以明目。头为诸阳之总,尤不可当风而卧,宜密防小隙微孔,以伤其脑户。卧时也不要让头当风,不要头枕冰冷石铁之上。

其四,注意护肚。肚子受凉会引起腹痛、腹泻,石成金说,夏季衣裳单薄,应该系绵布兜肚,特别是夜间睡着,即使被子脱落,有肚兜则无腹痛、泻痢诸患。

其五,夜卧忌扇。夜卧,特别是睡着时不可扇风,以免风入毛孔,酿成大患。《寿世青编》要求人们,"勿当风卧,勿眠中令人扇",否则风邪侵入,患风痹不仁,手足不遂,言语蹇涩,并指出当风而卧,眠后而扇,即使不病,也会埋下了病根。

3.秋季摄生

秋天主肃杀,阳气当敛,不宜消耗身体能量。其一、注意出汗。出汗就是在消耗能量,会影响脏腑。《摄生消息论》说:"秋间不宜吐并发汗,令人消烁,以致脏腑不安。"其二、闭目叩齿。《摄生消息论》认为"当清晨睡觉,闭目叩齿二十一下,咽津,以两手搓热,熨眼数多,于秋三月行此,极能明目。"不过在秋处暑热未退,其调摄与夏同。

4.冬季摄生

冬季天地闭,气血藏,阳气在内,应固守元气,避免外热太盛。石成金说:"冬三月,乃水藏水闭,血气凝涩之时,最宜固守元阳,以养真气也。"

第一,忌发汗。《摄生消息论》认为冬天伏阳在人体内,有疾宜吐,所忌发汗,以免泄阳气,应该服药酒以迎阳气。所谓"冬伤于汗,春必温病"。孙思邈说:"冬三月宜服药酒一二杯,立春则止,终身常尔,百病不生。"

第二,外阳不可太盛。阴阳调和,身体健康。冬天外寒,人当暖身以御寒,暖身是有限度的,即达到御寒乃止。如果衣服过暖,烤火过度,饮食过燥,则外阳太盛,就会引发疾病。《摄生消息论》要求随着寒意增加而逐渐加衣,加衣以无寒为限,不要因为寒冷而用大火烘烤,也不要以火烤手,因为手足应心,引火入心,使人烦躁;冬天服药,冷药不可过热,热药不可过冷,因为水就湿,火就燥;饮食之味,应减咸增苦以养心气。石成金要求切戒"炙煿燥毒之物",避免上火,不要衣重裘,近火醉酒,因为冬月天寒,阳气在内,自有郁热。否则阳气太盛,春夏之交,就会发热病。

第三,当温足冬脑。《云笈七签》说:"冬卧头向北,有所利益,宜温足冻脑。"为什么要冻脑,我们不得而知。不过,冻脑只是以脑迎寒气,不是以冰冷之物为枕,"冬夜不宜以冷铁石为枕,或焙暖枕之,令人目暗。"以冰冷之物枕头,会伤害视力。老年人畏寒,尤暖足,其法可在上床之前,用暖壶将被温暖,石成金认为这样,"临睡甚暖,又可温足,且远火气,无火毒,享用最妙之法。"

第四,忌房事。冬天以固阳为本,当收敛一切,节制欲望。《摄生消息论》要求冬天忌房事。明代的高濂在《遵生八笺》中说:"冬季乾坤气闭,万物伏藏,当节嗜欲,止声色,以待阳气之定。"

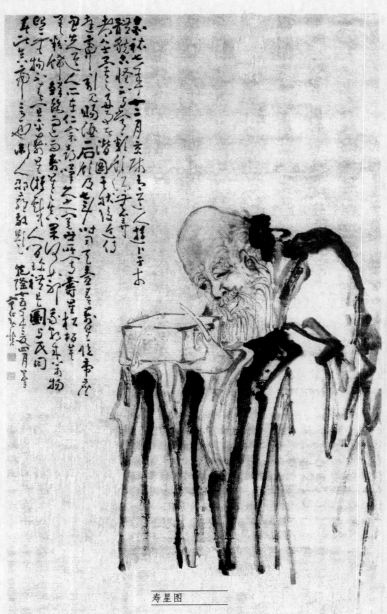

寿星图

第八章 服食有方

"民以食为天",吃饭、穿衣是人的基本需要。所以我国古代统治者都把解决老百姓的温饱问题作为治理的重要目标,将饮食与衣服列为重要的政事,《礼记·王制》将饮食、衣服列在八政之首。从养生文化的角度讲,饮食、衣服不仅仅是为了求生存,而是为了求健康,求延年益寿。

总之,"食取称意,衣取适体,即是养生妙药。"(《老老恒言》)我国古人在生活中体悟出许多饮食养生的道理,形成了我国传统养生文化最富有魅力的部分之一。

一、养生之道　先于饮食

饮食文化在中国文化中具有关键性的作用，中国人的情感靠饮食来联络，请客吃饭，杯酒传情，才有一团和气，古人说"饮食所以和欢也"。所以中国人对饮食给予极大的关注，"吃"不仅贯穿于中国文化史，而且是养生文化的高级部分。正是对"吃"充满了超乎寻常的热情，我国先民往往把能解决好"吃"的问题的人尊为大王。伏羲教民"钻燧取火，以化腥臊"，民不再茹毛饮血而悦之，使之为王，名为"燧人氏"，又教民结网捕鱼，以充庖厨，又称之为"庖牺氏"。神农发明耒耜，教民生产粮食，亦王天下。由于对饮食倾注了极大的热情和智慧，才形成了独具中国特色的饮食养生文化。这些文化包括了有益健康的饮食原则。

1.平衡饮食

平衡饮食体现了我国平衡养生的原则。因为阴阳调和，五行相生相克，才有事物的欣欣向荣，所以要饮食平衡，包括饮与食要平衡；各种食物及味道要平衡。古代食医的职责就体现了这种平衡。《周礼·天官》指出食医的职责为"掌和王之六食、六饮、六膳、百羞、百酱、八珍之齐"。食医负责帝王的饮食营养，其职责包括要熟悉谷物、肉类、饮料、佐料等营养作用，并能将这些搭配停当。平衡是"和"文化在饮食中的体现。

一要饮与食平衡。饮包括茶、酒。我国古代有"酒为欢伯，除忧为乐"之说，酒可活血通络。茶在我国有着悠久的历史，我国古代盛产茶叶，也深知茶叶的功效。汉代的《神农本草》指出茶可

陆羽瓷像

卢仝七碗茶

一碗喉吻润，
二碗破孤闷，
三碗搜枯肠，唯有文字五千卷。
四碗发清汗，平生不平事，尽向毛孔散。
五碗肌肤轻，
六碗通仙灵，
七碗吃不得也，惟觉两腋习习清风生。

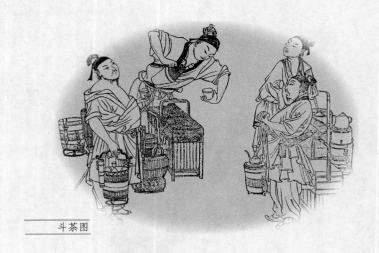

斗茶图

宋团茶

以"益思，少卧，轻身，明目"。唐代的陆羽在《茶经》中说茶可治"热渴，凝闷，脑疼，目涩，四肢烦和百节不舒"。李时珍则全面说明了茶的治病功效，茶可以治"瘘疮，利小便，去痰，止渴，令人少睡，有力，悦志"；可"下气消食"；"破热气，除瘴气，利大小肠"。所以饮与食并列为饮食。

二要食物平衡。物各有其性其用，当平衡各种食物，使体内营养丰富。我国古代也注意到五谷杂粮、蔬菜瓜果、肉类等的养生作用。《黄帝内经·素问》说："五谷为养，五果为助，五畜为益，五菜为充。"

三要口味平衡。古人以饮食口味上的咸、苦、酸、辛、甘对应五行上的金、木、水、火、土，认为五味调和才有益健康。调和五味就是做到"甘而不浓，酸而不酷，咸而不减，辛而不烈"，并随季节而调和。

要平衡饮食，就要避免偏食，偏食会导致体内营养不平衡而引发疾病。

2.无饥无饱

饮食要平和，不能暴饮暴食，有几分饱就应该停止进食。孔子教人食不过饱，饮不过量。墨子以朴素为质，要求饮食能保证"充虚继气，强股肱，耳目聪"，就应该停止进食，管子则告诫人们过饱则伤形体；过饥则血气闭塞，饮食适量，才是和正。《吕氏春秋·尽数》也指出无饥无饱不会损害五脏的功能。唐代的孙思邈也提倡节制饮食，他说："饱食过多则结积聚，渴饮过多则成痰癖。"他在《养性序》中说，北方人饮食简单，但寿命长；南方人食物丰盛，但寿命短。北宋的大文豪苏东坡也主张饮食不求饱，他说："已饮方食，未饱先止。散步逍遥，务令腹空。"无饥无饱也适于婴幼儿。

无饥无饱，就是要适当节制饮食，节食最好节晚餐。《寿亲养老新书》说："夜晚减一口，活到九十九。"研究表明，晚上摄入的食物对体重的影响明显。所以减少晚餐摄入量，可以保持体重。节食亦可少吃多餐。清代的石成金提倡少吃多餐，"食虽宜少，而餐次宜频"。

3.厚薄相宜

节制饮食合乎阴阳之道，饱为阳，饥为阴，食物的丰为阳，俭为阴，极阴极阳都是不正常的，所以腹中过饥过饱都会伤害身体的功能，只有阴阳调和，不饥不饱才是养生之道。同样，食物过俭过丰都会损害身体健康，过俭而生食会引起疾病；过丰味浓，伤害胃肠，损害身体；过咸会损害肾脏。我国古代主张滋味厚薄、浓淡两相宜，反对过于油腻，过于味重。《吕氏春秋·尽数》指出：

汉酒宴图

"凡食，无强厚味，无以烈味重酒。是以谓疾首。""疾首"即病源，也就是说厚味、烈味都会导致疾病。老子就告诫："五味令人口爽"，"爽"即败也，味厚会伤害胃肠。《素问·生气通天论》指出了各种味道的消极作用，味道过酸会伤脾，过咸会劳骨伤心，过甜会伤肾，过苦会伤胃，过辣会伤筋脉。因此，味道不能过重过厚，也不可偏食某一味道，否则会伤害身体。只有五味调和，味道适中才能颐养天年。

不仅酸甜苦辣要适中，而且油腻程度也要注意，特别是老年人。孙思邈说："夫善养老者，非其食勿食。非其食者，所谓猪、鸡、鱼、蒜、鲙、生肉、生菜、白酒、大酢、大咸也。常宜轻清甜淡之物，大小麦面粳米等为佳。"老年人不要吃如猪肉、鸡鸭鹅等油腻之物，也不要吃生、咸之物，以清淡为主。

反味重、油腻之道而行之，我国古人有崇俭食之风。提倡俭食既是健康的要求，也有多方面的文化意义：**其一，从健康意义上考虑。**如宋代的史学家郑樵认为养生之道在于俭食。他说："食品无务于淆杂，其要在于专简；食味无务于浓俨，其要在于淳和；食料无务于丰赢，其要在于从俭；食物无务于奇异，其要在于守常；食制无务于脍炙生鲜，其要在于蒸烹如法；食用无务于厌饫口腹，其要在于饥饱腹中。"也就是说饮食之要在于简单、醇和、平常、制作如法、饥饱适中，不追求异味，不求浓味，不求饮食无限。清人石成金认为五味各有所伤，当淡食，"淡食最补人，五味各有所伤"。**其二，体现崇尚自然。**老子说："为无为，事无事，味无味。"不求味而得味，求其朴素、自然。因此淡食成为追求自然的一种文化标志，人们在饮食上就推崇素食、清淡食物，认为淡食能得其真味，要求保持食物的本味。**其三，作为统治的要求。**古代统治者认为沉溺口腹会导致国家灭亡，宋太祖、明太祖都朴素为德,生活相当简朴。应该指出,一味地追求清淡、真味不利于健康。

4.合乎季节

古人认为食物的滋味与温凉合乎季节才能保养身体。《礼记·内则》说到食品如春天,汤如夏天,酱如秋天,饮料如冬天,亦即饭宜温,羹宜热,酱宜凉,饮宜寒,春天宜多吃酸味,夏天宜多吃苦味,秋天宜多吃辣味,冬天宜多吃咸味,酸苦辣咸调之以甜物,正餐最适宜的调配方法为牛肉配粳米,羊肉配黍米,猪肉配粟米,狗肉配粱米,雁肉配麦食,鱼配菰米。用膏,春天的小猪肉用牛膏;夏天的干鱼宜用犬膏;秋天的鹿肉宜用鸡膏;冬天的鸟肉宜用羊膏。

唐代饺子点心

5.早缓暖软

清人石成金认为饮食应养脾，不可伤之，"脾者，后天之本，人身之仓廪也。脾应中宫之土，土为万物之母"。他提出了食宜早、缓、暖、软、少、淡的原则。

"早"指早餐宜早，中餐在午前，晚餐不宜迟。早起必须进食，然后行事。他说："早起空腹不可往外，或天行时疫，或入病家，尤当谨慎，必须吃些饮食而后治事。"吃了东西，冬可实胃而免严寒霜雾之气，夏可免偏邪瘟疫之气，春秋免风霜雾气，所以食宜早乃"真养涩后内至要之法"。清晨最好吃白粥，他说，清晨食白粥，最能肠胃气，生津液，和五脏，大补于人。中餐、晚餐宜早些，"大约午饭宜在午前，而晚饭宜在日未落之时"。晚餐太迟，吃了便睡不利于消化，会大伤脾胃。石成金说："饭后宜多过一时，使饮食稍下方睡，则无患矣。"

"缓"指慢嚼，不可狼吞虎咽。缓嚼有三大好处，石成金说："细嚼则食之精华，能滋补五脏，一也；脾胃易于消化，二也；不致吞呛噎咳，三也。"

"暖"食物当热吃，特别是肉食肥腻之物，因为"脾胃喜暖而恶寒，凡饮食中之生冷瓜果之类，固宜少食，恐成腹痛、心痛、呕吐、泄痢诸疾。"强调暖，并不是越暖越好，只要不烫嘴即可。石成金说："暖亦不可太暖，大约热不炙唇，冷不振齿者，皆可食也。"如酒不可太热，会伤肺。"

"软"指米饭、粥、鱼肉、瓜果等当烂软，而老年人更宜吃软食。石成金认为坚硬之物最难消化，而筋韧及半熟之肉，更难消化。人在元气充实或血气少壮时，可能无患，但对脾弱年高之人，就难免得病。

酒杯

酒注

镂勺

方鼎

银碗

6.酒宜少饮

酒宜少饮,少饮可发挥酒的御寒、散瘀、活血、通经脉、温脾胃、养肌肤等功效,饮酒过量就失去了饮酒的意义。古人认识到喝酒吃肉太多会损害身体健康,《吕氏春秋·本生》把肥肉厚酒当作烂肠之食。《养生要集》指出,酒能益人,亦能损人。饮之以节,宜和百脉,消邪去冷。饮之无度,体气便弱,精神侵昏。《本草纲目》更进一步说,饮酒无度,醉以为常,轻则伤神耗血,损胃失精,生痰动火,疾病上身,重则丧邦亡家而陨身亡命。清人石成金说酒"唯略数杯,御风寒,通血脉,壮脾胃",但多饮则"薰心肺,生痰动火,甚则损肠烂胃,伤神损寿"。他告诫人们切莫大醉。大醉之害已被科学证实,研究表明,大量饮酒易致高血压,而高血压患者痛饮则易猝死,而且嗜酒的人平均寿命不超过 55 岁。

酒宜少饮只是个人的要求,但若是盛情难却或是情致所极而醉,醉宜遵避忌。《饮膳正要》指出,酒醉后不可发怒、高呼、跳跃、行房事、以冷水洗面,还告诫,醉不可忍大小便、醉不可沐浴、醉不可卧湿地、醉不可饮冷浆、醉不可饮酪水。

二、当知食性　以食疗补

在我国饮食养生文化中,饮食疗法是其中的宝贵财富。饮食疗法源于夏朝,商代的宰相伊尹就采取烹调方法治疗疾病。后世则将食疗作为养生学的一个专门部分。东汉张仲景的《伤寒杂病论》就有用猪肉汤治疗产后腹痛。唐代著名医学家孙思邈在《备急千金要方·食治》记载了 154 种食品类药物,在《千金翼方·养老食疗篇》中,针对老年人的发病情况,开列了 17 副食疗方剂。

食疗也为文人所重视。苏东坡就提倡食疗,他推崇蟹粉、豆腐、萝卜余鲫鱼和长命饺子对老年人身体的补益和治病作用,还认为菊花是好药,可清火益寿,提倡"春食苗,夏食叶,秋食花,冬食根"。对于肉,苏东坡更是情有独钟,不仅爱吃,而且善于烹饪。在贬居黄州时,东坡见当地猪肉多,便摸索出一套红烧肉的做法,自己非常爱吃,还赋诗一首:"黄州好猪肉,价贱如粪土。富人不肯吃,贫者不解煮。慢煮火时少着水,火候足时它自美。每日早来打一碗,饱得自家君莫管。"后来,他到杭州做官,疏浚西湖,兴修水利,杭州人民感激他,就纷纷送来他爱吃的猪肉。东坡盛情难却,只好来者不拒,全部收下,然后亲自下厨,将肉切成小方块,加上自己配制的调料,做成色香味俱佳的红烧肉。他分给修筑堤坝的民工吃,个个赞不绝口。于是"东坡肉"便传遍大江南北,成了浙江传统名菜。

以食物疗病当知食性。古人认为食物有四气、五味。四气即寒热温凉四性。热性、温性食物属阳,可通精驱寒;寒性、凉性食物属阴性,可清热泄火。五味即是辛、酸、甘、苦、咸。辛可活血化瘀;甘能补血和中;酸可止泻固精;苦可泻火健脾;咸则治痰通便。古人根据食物的四气、五味安排饮食来补益身体。

1.食性食效

四气、五味,本食物之性,而不同食物有不同的气与味,只有知具体食物之性才能以食物为药,疗养身体,却病延年。元代的忽思慧在《饮膳正要》中对米谷、禽兽、鱼、果、菜的食性食效做了详细地说明。

清人石金成将食物分为谷、菜、瓜、果、味、鸟、兽、鱼、甲、虫等十类食物,并对十类食物的功效做了说明。菜类之蔓菁菜,和

飲膳正要

食物利害

中益气,令人肥健;瓜类之冬瓜能利水;果类之橘可润肺;味类之茶可解山岚瘴疠之气,江洋雾露之毒,以茶漱口可固齿;鸟类能养阳,鸭性凉,可治热疮。兽类之猪肾利肾气。鱼类之鳗鱼可清热治劳虫。甲类之螺丝性大寒,可解热醒酒。虫类之海蜇可去积滞。

我国古代总结出了各种食物的性质。如菜类之白菜性平味甘,可清热解渴,和胃润肠;青菜性寒味甘,亦可清热解毒、和胃;菠菜性凉味甘,有养血止血的功效;芹菜性寒味甘,可泻火清肝;大蒜性温味甘,可健脾开胃,解毒杀虫;韭菜性温味辛,可益肾固涩;莴苣性凉味淡,可清热利尿通乳;南瓜性温味甘,可补中益气,解毒杀虫;丝瓜性凉味甘,可清热解毒,凉血活络;竹笋性寒味甘,可消食化痰,透疹解毒,利水消肿;扁豆性平味甘,能健脾和中,消暑化湿;蚕豆性平味甘,可健脾利湿。

瓜果类之西瓜性寒味甘,可清热解暑,除烦止渴,利尿消肿;黄瓜性寒味甘,可清热利尿解毒;苦瓜性寒味苦,可清热明目解毒;葡萄性平味酸,可补气血,强筋骨,利小便;李子性平味酸,可清肝养肝,生津利尿;栗子性温味甘,能健脾养胃,补肾强筋,活血止血;柚子性寒味酸,可健脾开胃,生津解渴;百合性寒味甘,能润肺止咳,清心安神;柿子性温味甘,可清热润肺止咳;苹果性温味甘,可健脾和胃,消食止泻;大枣性温味甘,能补中益气,养血安神;山楂性温味酸,可健胃消食,活血化瘀。

味类之盐性寒味咸,可清火凉血解毒;醋性温味酸,可散瘀止血,解毒杀虫;酱油性寒味咸,可健脾开胃,清热解毒;糖性寒味甘,可助脾和胃生津。

谷类之小麦性平味甘,可养心安神;荞麦性凉味甘,可开胃消积,下气利肠;大豆性平味甘,可调和脾胃,补虚益损;赤豆性温味甘,可利尿消肿,养血补血;绿豆性寒味甘,可清热解毒,消暑利尿；花生性平味甘，可润肺润肠，养血止血；芝麻性平味甘，可润燥滑肠，养肝明目。

鱼类之泥鳅性平味甘，可补中益胃，祛湿消肿；鳝鱼性温味甘，可补虚祛风；鲤鱼性平味甘，可利水消肿，下气通乳；鲫鱼性温味甘，可健脾开胃，利湿消肿；河虾性温味甘，可补肾壮阳，通乳排浓。

肉类之牛肉性平味甘，能补脾胃，益气血，强筋骨；羊肉性温味甘，可益气补虚，温中暖下；猪肉性平味甘，可滋阴润燥；鸡肉性温味甘，可温中益气，补精益髓；鸭肉性凉味甘，可养胃滋阴，利水消肿。

菌类之黑木耳性平味甘，可益肾润燥止血；白木耳性凉味甘，可养阴润肺，益胃生津；香菇性平味甘，可健脾开胃，疏肝解郁。

知食性食效是为了平衡饮食，不是偏向某几种食物。石成金就指出一些食物多吃会有损健康，甚至引发疾病。如笋多吃动气，不利脾胃；葱多食则神昏；香瓜多食则泻；西瓜多吃伤脾；梅子多吃坏齿损筋；樱桃多吃发暗风，伤筋骨；柑多食令脾冷；盐多食伤肺喜咳，走血损筋，令人色黑；醋多食损脾胃，坏人颜色；白糖所吃生痰；鲫鱼多吃动火；鳇鱼多食难消，生热痰。

2.对症以补

食物各有其性其效，则可发挥食物的功效，调养身体，扶正去邪。元代的《饮膳正要》列举了 61 种食疗法，如生地黄鸡，可疗腰背疼痛、骨髓虚损不能久立、身重气乏盗汗；羊蜜膏可治虚劳腰痛、咳嗽肺痿；羊脏羹可治肾虚劳损、骨髓伤败；羊骨粥可治虚劳、腰膝无力；猪肾粥可治肾虚劳损、腰膝无力；乌鸡汤可治虚弱劳伤、心腹邪气;酸枣粥可治虚劳、心烦不得睡卧;莲子粥可治心志不宁、补中清志、聪明耳目;野鸡羹可治消渴口干、小便频数;羊肚羹治中风。

清代的石成金针对风、寒、暑、湿、燥、气、血、痰、虚、实等十类病症列举了相应的食补方。针对风症的食补方有葱粥、苍耳粥、煮黑鱼、羊肚粥、松精粉、黄牛脑髓酒;针对寒症的有五合茶、干姜粥、茱萸粥、川椒茶、丁香熟水、肉桂酒;针对暑症的有绿豆粥、桂浆、面粥;针对湿症的有薏苡粥、郁李仁粥、赤小豆饮、紫苏粥、苍术酒;针对燥症的有地黄粥、苏麻粥、人乳粥、甘蔗粥、小麦汤、甘豆汤、藕蜜膏、四汁膏、梨膏、蒸柿饼;针对气症有桔饼、木香酒、杏仁粥;针对血症的有阿胶粥、桑耳粥、槐茶、马齿苋羹、柏茶、猪胰片、羊肺、羊肝、羊肾、藕粉、藕节汤;针对痰症的有茯苓粥、竹沥粥、蒸梨、苏子酒;针对虚症的有人乳、牛乳、人参粥、门冬粥、粟米粥、理脾膏、山药膏、芡实粥、莲子粥、茯苓粥、扁豆粥、苏蜜煎、姜桔汤、莲肉膏、豆麦粉、茯苓膏、清米汤、枸杞粥、参归腰子、猪涩后内酒、人参猪肚、水芝;针对实症的有开膈鱼、珍珠粉。

三、适宜而衣　悦其身心

服饰是人类特有的文化现象,人们穿衣不仅为了生存,而且为了美观,体现自己的身份,抬高自己的地位。在古人看来,衣服有如下功能:

第一,护体。护体是衣服的基本功能,人们用衣服来御寒避暑。汉代的刘熙在《释名·释衣服》中说:"衣,依也,人所依蔽寒

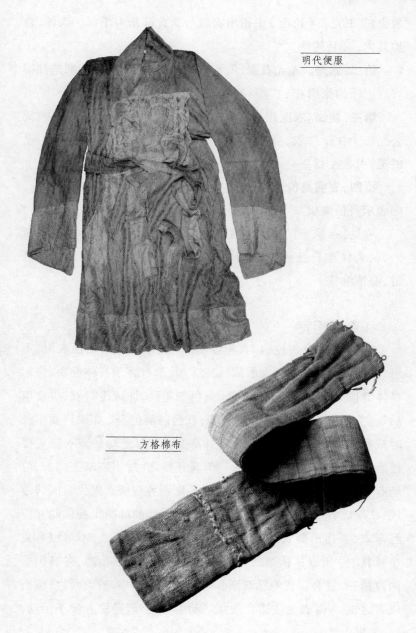

明代便服

方格棉布

暑也。"王充在《论衡》中指出衣服与饮食都是为了保护人体,食护其内,衣卫其外。

第二,遮羞。人无衣服,就难以遮蔽身体的部位,特别是性器官。三国的张揖在《广雅·释器》中说:"衣者,隐也。"

第三,装饰。衣服用来装饰自己,使自己更为美观。《左传·闵公二年》中云:"衣,身之章也。章,明也。"服装是为了显示自己的美,引人注目。

第四,表明身份。管子说:"衣服所以表贵贱也。"衣着华丽,则表示身份高贵。

可见,衣服不仅满足生理需要,而且满足心理,既要护体、遮羞,又要体现自己的美,展示自己的修养和社会地位,让身体舒适,心情愉快。

1.冷暖相宜

古人说:"食勿过饱,衣勿过暖。"当随季节而更换衣服,不可过暖,亦不可过凉。衣服骤减或多加,都有害于身体健康,应以身体舒适为宜。"避风如避箭,避色如避乱,加减逐时衣,少食申后饭。"加减衣服及时,身体舒服,就会防病健身。如果热而不及时减衣,冷而不及时加衣,就会引发疾病。对老幼加减衣服更要注意。老人以保暖为主,当天气乍暖还寒之时,不要减去棉衣,应随着气温渐减衣服,不可骤减。小儿则不宜过暖。宋代名医钱乙说:"若要小儿安,须带三分饥与寒。"明代的薛凯也提倡幼儿应当薄衣,并指出薄衣之法,"薄衣之法,当从秋习之,不可以春夏卒减其衣。所以从秋习之者,地渐稍寒,如此则必耐寒,冬日但著两薄裙,一复裳。若不忍渐渐其寒,当略加耳。若爱而暖之,适所以害之也。"薄衣之法适合幼儿好动的特性。轻薄之衣便于活动,厚重之衣束缚身体。穿得过暖,幼儿动则出汗,汗凉则易伤风感冒。父母不可因爱孩子而给他穿过暖的衣服,这样是害孩子。

薄衣之法从秋天开始,与春捂秋冻相关。俗话说"春捂秋冻",即是说春天乍暖还寒,应适当捂一捂,以防寒流;秋天欲寒还暖,过早加衣则易出汗,从而伤害身体,当冻一冻。《混俗颐生论》说:"春深,稍宜和平将息,棉衣稍宜晚脱,不可令背寒,寒即伤肺,令鼻塞咳嗽,似热即去之,稍冷即加之,甚妙。"《养生要集》云:"冬季棉衣稍宜晚着,仍渐渐加厚,不得顿温,此乃将息之妙矣。"不过,不管是捂还是冻,都是以身体舒适为度。冻不仅是有限度的,而且也有范围。古人特别强调要护前胸后背,胸背着凉则会产生呼吸道、心血管系统、肠胃等方面的疾病。

2.颜色相配

孔子说"绘事后素",装饰最终要体现人的本质。服饰美要体现人的修养、气质和身份。服饰美在于颜色、质地的搭配,在于与自己的气质、修养相配,在于与自己的身份相宜。衣服的颜色影响人的心情,如绿色令人安适,使人心情平静、乐观;紫色让人焦虑。但是注意衣服颜色的搭配,使服装富有美感,则会陶冶人的心情。我国古代非常重视服装的美,男子服装要有阳刚之气,体现男人的庄重、成熟;女人的服装要有阴柔之美,体现女人的俏丽、娇美。

男子的服饰体现阳刚之气。如《诗经》中男子的服饰为羊裘豹袂,以豹代表力量。《唐风·羔裘》:"羔裘豹袂,自我人居居。岂无他人?维子之故。"白色的羊裘,豹皮袖口,豹纹点缀在白裘中。《郑风·羔裘》:"羔裘如濡,洵直且侯。彼其之子,舍命不渝。羔裘豹饰,孔武有力。彼其之子,邦之司直。羔裘晏兮,三英粲兮。

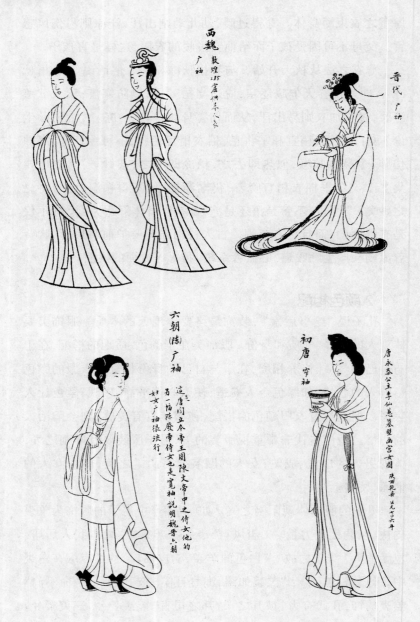

西魏 广袖
敦煌285窟供养人家

晋代 广袖

六朝（陈）广袖

初唐 窄袖

唐永泰公主李仙蕙墓壁画宫女图 陕西乾县 光七○六年

这是阎立本帝王图陈文帝中之侍女他的另一幅陈废帝侍女也是宽袖说明魏晋六朝妇女广袖很流行。

初唐 窄袖

这是敦煌375号窟所画的贵妇人和待女。贵妇人发髻高竖窄窄袖短衣，窄半臂披成带，长裙曳地。是隋末唐初流行的样式。

初唐 窄袖 唐碑刻四碑之一

初唐 窄袖

唐章怀太子李贤墓壁画观雀捕蝉图 陕西乾县 公元七〇二年

盛唐 繁衣宽袖

敦煌八五洞

晚唐 宽袖
（贞元年间）

唐周昉簪花仕女图

元七八五年

晚唐 丰宽袖

敦煌壁画一七窟供养仕女

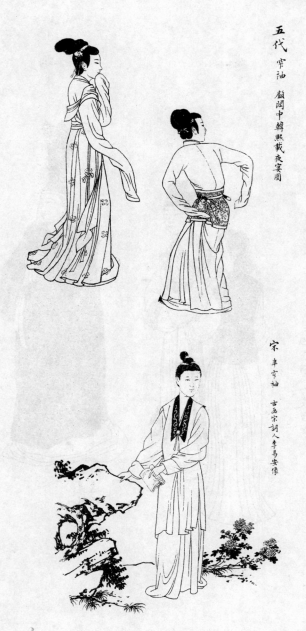

五代 窄袖 顾闳中韩熙载夜宴图

宋 半宽袖 古画宋词人李易安像

元代

右后妃象、左元代一般妇女服装。后妃广袖、一般妇女半宽袖。右蒙族、左汉族。

见元人画
货郎图

见"孔雀胆"
连环画

明代

着长衫百褶裙，有的腰繫宽带，半宽袖，高髻，额上髮际勒一緞带。（见清宫珍宝百美圖）

清代 汉族

丰宽袖大裤
裙、鬓髻有盘
髻、翘髻、衣裤
居、花边、还有满
族旗装从略。

彼其之子,邦之彦兮。"羔裘润泽、鲜明,以豹皮为饰,显得孔武有力。孔子对君子的服饰也提出了要求,"君子不以绀緅饰。红紫不以为亵服。当暑,袗绤绤,必表而出之。缁衣羔裘,素衣麑裘,黄衣狐裘。亵裘长。短右袂。必有寝衣,长一身有半。狐貉之厚以居。去丧,无所不佩。非帷裳,必杀之。羔裘玄冠不以吊。"绀,深青杨赤色,为斋服;緅,绛色,表示三年之丧,用来饰练服。君子不当以此二色为服。红紫为间色,不正且近于妇人之服,即使私居,君子也不以为服。袗,单衣之谓也,绤,葛之精者,绤为粗葛布,君子暑天出行应先穿里衣,外穿绤绤之单衣。天冷则黑衣配白羊皮裘,白衣配鹿皮裘,黄衣配狐皮裘。亵裘长以保温,右袂短便于做事。寝时着睡衣,可以覆足。在孔子看来,男人着装当回避赤色、绛色、红色、紫色,当选择正色,黑、白、黄色。的确,黑色富有表情,给人理智、成熟的感觉;白色明亮,象征高尚纯洁;黄色明朗,给人以欢快之感。这些颜色能给人端正、亲切之感。孔子说:"君子有三变:望之俨然,即之也温,听其言也厉。"衣服的颜色就能让人望之俨然,即之也温。孔子也说明了要随着季节更换衣服,其质地与季节相适应。葛布衣,吸湿能力和放湿能力都很强,最适做夏衣。

　　女子的服饰体现阴柔之美,如《诗经》中女子的服饰为绿衣黄裳,白衣灰巾。如《邶风·绿衣》:"绿兮衣兮,绿衣黄里。心之忧矣,曷维其已。绿兮衣兮,绿衣黄裳。心之忧矣,曷维其亡。绿兮丝兮,女所治兮。"古人以黄色为正色,绿色为间色,则为绿衣黄裳,绿内黄外。裳如同披风。《郑风·出其东门》:"出其东门,有女如云。虽则如云。匪我思存。缟衣綦巾,聊乐我员。"缟,白色。綦,苍艾色。白衣再点缀黄色、灰色,更能体现出女人的俏丽。恰如俗话所说,"要想俏,一身孝"。大红大绿也是我国女性传统的配色习惯。隋代有"裙裁孔雀罗,红绿相参对"描写女性的装饰。《红楼梦》中的尤三姐面对轻薄的贾琏、贾珍,"索性卸了妆饰,脱了大衣服,松松的挽个髻儿,身上穿着大红小袄,半掩半开的,故意露出葱绿抹胸,一痕雪脯,底下绿裤红鞋,鲜艳夺目"。红袄绿裤,上露绿色胸衣点缀红色中,脚穿红鞋,由绿色衬托。正所谓"万绿丛中一点红,动人春色不须多"。此等装束使尤三姐既显得美艳而又不可侵犯。

古人也要求女性的衣服宜淡雅、整洁,且与容貌、面色相配。清代的李渔说:"妇人之衣,不贵精而贵洁,不贵丽而贵雅,不贵与家相称而贵与貌相宜。"

在古代,妓女往往是追求服装美的先导,妓女的艳丽装束常常为官庶之家的妇人效仿。明代的余怀在《板桥杂记》中指出南京妓女的装束为四方效仿,"南曲衣裳装束,四方取为式,大约淡雅朴素为上,不以鲜华绮丽为工也"。

3.宽紧恰当

服装应不松不紧,以舒适为妙,不可因所谓的美而损害健康。我国古代以女子细腰为美,有楚王好细腰之说,不少女子为纤细而束腰;古人好小脚,所谓"足下蹑丝履,纤纤作细步",白居易也有"小头鞋履窄衣裳",南唐李后主有嫔妃窅娘,纤丽善舞,即命作金莲,高六尺,饰以珍宝,又令窅娘以帛缠足,屈上作新月状而舞,从此兴妇女缠足之风,妇女为求三寸金莲而洒泪。束腰与缠足的做法都是摧残身体的行为。女性的曲线美是天然美,只要饮食合理,就会自然生成。人为地追求苗条,穿过紧的衣服,会引发疾病。清代的李渔说,"楚王好细腰,宫中皆饿死",亦说:"因脚小而难行,扶墙靠壁,此累之在己者也。"穿衣不是为了束缚自己的身体,不能妨碍身体的舒展。

4.追求体面

俗话说:"三分长相,七分衣裳。"衣服是体现生活状况的标志。我国古代以礼治天下,官民衣服的面料、式样、装饰均有规定。如明代官服"用盘领右衽袍,或纻丝、纱、罗、绢,从宜制造"。老百姓则"不得僭用金绣、锦绮、纻丝、绫罗。……首饰、钗、镯不许用金、玉、珠、翠,止用银"。这些制度挡不住人民追求体面的生活,明代中后期,男子服锦绮,女子饰金珠,已突破国家的限制。平常百姓之所以这样做,无非是为了显得高贵、体面。实际上,体面的服装能增强人们的自信心,有利于心理健康。

四、衣食禁忌　相生相克

养生在于不伤,不伤就要遵守禁忌。衣食禁忌来源多方面,有来自生活的实践,有来自神灵的敬畏,有来自礼制的要求。

1.饮食禁忌

饮食禁忌重在勿伤身体,为古代养生家所重视。孙思邈在《摄养枕中方》中说:"夫万病横生,年命横夭,多由饮食之患,饮食之患过于声色,声……色可绝之逾年,饮食不可废于一日,为益既广,为祸亦深,且滋味百品,或气势相伐,触其禁忌,更成沉毒,缓者积年而成病,急者灾患而卒至也。"饮食不顾禁忌就会酿成疾病。饮食禁忌内容十分丰富,有的是针对不同的人,如产妇饮食禁忌;有的属于节日饮食禁忌;有的则限于食物和烹饪过程。

（1）忌吃生食

忌吃生冷食物是我国的饮食传统，因为生冷食物，尤其是鱼肉，腥臊味浓，这些气味会伤害人的食欲。熟食能去其腥臊，可防止疾病，有利于身体健康。尤其产妇要忌吃生冷食物。

（2）忌异味恶色

我国饮食讲究色、香、味，三者具备为佳，因为色、香、味俱佳不仅增强食欲，怡其心情，而且有益健康。所以凡是烹饪不当、有异味或腐败变味的食物都不能吃。孔子说："食馇而餲，鱼馁而肉败，不食；色恶，不食；臭恶，不食；失饪，不食。"孔子认为食物腐败变质，颜色难看，气味不正，烹饪不当，都不能吃。汉代名医张仲景也说："秽饭、馁肉、臭鱼，食之皆伤人。六畜自死，则有毒，不可食。"

（3）忌暴饮暴食

饮食须平和，无饥无饱为佳，过饮过饱损害健康，我国古代在饮食上忌暴饮暴食。明代龙遵叙在《饮食绅言》指出多食之害，"多食之人有五苦患：一者大便数，二者小便数，三者饶睡眠，四者身重不堪修业，五者多患食不消化，自滞苦际。日中后不食有五福：一者灭欲心，二者少卧，三者得一心，四者无有下风，五者身安稳，亦不作病"。吃多了会增

北宋文学家兼书法家黄庭坚写过一篇《食时五观》的短文，表达了他对饮食生活所取的态度。这五观是：一、计功多少，量彼来处；二、忖己德行，全缺应供；三、防心离过，贪等为宗；四、正事良药，为疗形苦；五、为成道业，故受此食。

加大小便的数量，不易消化，且睡眠多，体重增加而不利于干事业。反之少欲、少睡、专心，身体健康。

（4）忌同吃相克食物

元代的忽思慧在《饮膳正要》中指出："盖食不欲杂，杂则或有所犯，知者分而避之。"贾铭在《饮食须知》中也说："饮食藉以养生而不知物性有相宜，丛然杂进，轻则五内不和，重则立兴祸患，是养生者亦未尝不害生也。"杂食有益健康，但不能杂乱，不可随意搭配，要考虑食物之间的相生相克，否则会降低营养效果，甚至会中毒。如猪肉与牛肉不能共食，《金匮要略》说："牛肉共猪肉食之必作寸白虫"。《本草纲目》也说："猪肉合牛肉食生虫"。因为猪肉性寒，牛肉性温，二者相抵。与猪肉不能相配的还有驴马肉、大豆黄、羊肝、甘草。猪肝性温，能补肝养血明目，不宜与鹌鹑、山鸡、鲫鱼、花菜相配。牛肉健胃壮腰，除了不宜与猪肉相混外，不得与韭菜、栗子同食。《本草纲目》说："牛肉合猪肉及黍米酒食，并生寸白虫；合韭薤食，令人热病，合生姜食损齿。"羊肉性大热，能益气补虚，不宜与鱼鲙、乳酪、荞麦面、酱相配。狗肉性温，能补胃气，壮阳道，暖腰膝，益气力，填精髓，不宜与鲤鱼、大蒜相配。《饮膳正要》说："鸡肉不可与兔同食，令人泄泻"，又说："兔肉着干姜同食，成霍乱"。鸡肉性温，能补虚温中，不得与兔肉、鲤鱼、大蒜同食。孙思邈说："鳖肉不可合猪肉、兔、鸭肉食，损人。"《本草纲目》说："鸡蛋同兔肉食成泄痢"，又说："妊妇以鸡子鲤鱼同食，令儿声疮"，"鸡子和葱蒜食之气短"。葱性温，不得与蜂蜜、公鸡肉、枣、狗肉、豆腐相合。大蒜性温，能健胃杀菌，不得与蜂蜜、狗肉、鸡肉合。韭菜性温，能补虚益阳，不可与蜂蜜、白酒、牛肉同食。不宜相搭配的还有鳝鱼与红枣、鲫鱼与冬瓜、田螺与木耳、莴苣与乳酪、柿与蟹、鱼籽与猪肝、花生与黄瓜、芹菜与黄瓜、芥菜与鲫鱼、蘑菇与野鸡、菱角与蜜、银杏与鳗鱼、核桃与野鸡肉、柑桔与萝卜、柿梨与蟹等。

（5）忌季节不适

古人讲究饮食当与季节相适应，季节不宜者则禁之。春天忌食辛辣食物。《摄生消息论》云："春阳初升，万物发萌，正二月间，乍寒乍热，高年之人，多有宿疾，春气所攻，则精神昏倦，宿鬓发发动。或经去冬以来，拥炉薰衾、啗炙炊煿，成积至春，因而发泄，致体热头昏，壅隔涎漱，四肢倦怠，脚腰无力，皆蓄火以来者。稍发，不可便性疏利之药，恐伤脏腑，别生余疾，唯用消风和气，凉隔化痰之剂，食治调停，自然通畅。"春天各种疾病易于发生，而且经过了冬天身体状况处于低落时期，当以平和食品调理，应避免刺激性食物。《心镜》说春三月当"节五辛，以避厉气，五辛，葱、蒜、韭、薤、姜是也"。

夏天气候炎热，体力消耗大，容易出现头昏脑胀、四肢无力，应避免吃伤神的食物。夏天消化功能减弱，不得吃肥腻食物，也不要吃过多的生冷食物。《齐民要术》说："是月也阴阳争，血气散，夏至先后各十五日，薄滋味，勿多食肥脓。"孙思邈在《摄养枕中方》中告诫夏天吃过多生冷食物的害处，"当时不觉即病，入秋节变生多诸暴下，皆由涉夏取冷太过，饮食不节故也。而或者以病至之日，便为得病之初，不知其所由来者渐矣"。

秋天气候干燥，容易引发呼吸道疾病，如支气管炎、感冒、咳嗽等。所以秋天当忌食性燥的食物，多吃性味平和、能润肺的食物。刘词在《混俗颐生录》中说："春秋之季，故疾发动之时，切须安养……不宜吃干饭、炙煿、自死牛肉、生脍鸡、猪、浊酒、陈臭咸醋、粘滑难消之物及生菜、瓜果、毒鱼、脍鲊酱之类。"螃蟹最好在秋末冬初下霜后吃，李时珍说："蟹，霜前食物故有毒，霜后将蛰故味美。"

冬天要聚集能量,注意血脉疏通。《金匮要略》说:十月"勿食椒,损人心,伤人脉";"勿食被霜生菜,令人面无光,目涩,心痛,腰疼或发心疟,发时手足十指爪皆青,困萎";十一、二月"勿食薤,令人多涕唾"。

古人食物的季节性禁忌的理由是多方面的。一方面与经验相关,考虑食物的本性与季节的状况。如冬天拥炉烤火,容易上火,因此"切忌食热肉酒面炙煿之物,多食令人血脉不行"。另一方面与五行生克相联。肝属木,为春王;心属火,为夏王;肺属金,为秋王;肾属水,为冬王;脾属土,为四季王。因此要注意五行相克。春天禁食肝,因肝旺。《金匮要略》说:"春不可食肝,为肝旺时。"《摄生消息论》说:"夏月属火。主于长养心气、火旺,味属苦。火能克金,金属肺,肺主辛,当夏饮食之味,宜减苦增辛。"秋天则增酸以养肺,"秋三月,主肃杀,肺气旺,味属辛,金能克木,木属肝,肝主酸,当秋饮食,宜减辛增酸,以养肺气。"冬天肾旺勿食肾,"勿食猪羊肾,十月肾旺也。"

(6)忌孕期乳期

妇女在怀孕、哺乳期的饮食,关系到孩子的身体健康。古人认为此时不注意饮食禁忌是"使子受患,是母令子生病矣"。元代忽思慧在《饮膳正要》中指出,妊娠期当忌食兔肉、山羊肉、鸡子、干鱼、桑椹、鸭子、雀肉、豆酱、鸡肉、糯米、鳖肉、冰浆、驴肉、骡肉。哺乳期则注意夏不要热乳,冬不要冷乳,发怒时、酒醉时、呕吐时、有热病时均不要哺乳,刚房事后不可哺乳,也不要吃饱后哺乳,身体太热太冷不要哺乳,"夏,勿暑乳,否则子偏阳而多呕逆;冬,勿寒冷乳,否则子偏阴而多咳痢;母不欲多怒,怒则气逆乳之,令子颠狂;母不欲醉,醉则发阳乳之,令子身热腹满;母若吐时,则中虚乳之,令子虚赢;母有积热,盖赤黄为热,乳之,令子变黄不食;新房事劳伤,乳之,令子瘦痒交胫,不能行;母勿太饱乳之;母勿太寒乳之;母勿太热乳之;子有泻痢腹痛夜啼疾,乳母忌食寒凉发病之物;子有积热惊风疮伤,乳母忌食湿热动风之物;子有疥癣疮疾,乳母忌食鱼虾鸡马肉发疮之物;子有癖疳瘦疾,乳母忌食生茄黄瓜等物。"

(7)忌日月年

这种禁忌往往有文化意义。如在寒食节只吃冷食而不吃热食,是为了纪念春秋时晋国的介之推。家里有丧事也禁饮酒吃肉,《弟子规》云:"对饮食,勿拣择,适可止,勿过则。年方少,勿饮酒,饮酒醉,最为丑。"团圆的日子忌食梨,因与离音同。婚礼的日子忌吃桃,因与逃同音。

每年的五月初五禁吃牛肉,《岁时广记》言:"藏经:每岁五月五日,瘟神巡行世间,宜以硃砂大书云:'本家不食牛肉,天行已过,使者须知'十四字,贴于门上,可辟瘟疫。盖不食牛肉之家,瘟神自不侵犯。"不仅吃肉有禁,宰杀亦有忌日。据《荆楚岁时记》,正月前七日不得杀鸡宰猪,"一日不杀鸡,二日不杀狗,三日不杀猪,四日不杀羊,五日不杀牛,六日不杀马"。

如果是本人或父母的生肖年,亦得禁吃此类动物。如本人属羊,则羊年禁食羊。道教的《仙道忌十败》中便有"不食父母本命肉","不食己本命肉"。

另外还有忌食而言。俗话说:"吃不言,睡不语。"因为说话影响进食。

2.衣服禁忌

从前文可以看出,穿衣不得暴减,不可过紧,还要忌颜色。孔子指出君子不得着凶色和艳色,如赤色、红色、紫色、白色、黑色。着女装颜色,则显阴柔之气,一身黑、白之色,于父母不敬。"为人子者,父母存,冠衣不纯素。"衣服禁忌更多地在于其文化意义。我国古代以礼治天下,最忌僭越。在古代,衣服是身份的象征,不同身份的人穿不同的衣服,也就是其衣服的形制、颜色、质地、名称各不相同。龙袍只能皇帝穿,若有私自制作、收藏都是死罪,更不用说穿着。

　　颜色代表身份,不可僭越。黄色、紫色等为贵色,是权贵的专用色,民间禁用此色。《唐会要》载"三品以上服紫,四品五品服绯,六品七品以绿,八品九品以青。妇人从夫之色。"三品以下官难以服紫色。宋代则禁黝色,"仁宗时,有染工自南方来,以山矾叶烧灰,染紫以为黝,献之官者泪诸王,无不爱之,乃用为朝袍。乍见者皆骇观。士大夫虽慕之,不敢为也。而妇女有以为衫褵者,言者亟论之,以为奇褒之服,寝不可常。至和七年十月已丑,诏严为之禁,犯者罪之。"

　　也忌着贱色。元、明、清时,绿色、碧色、青色为贱色,用于娼妓、优伶人等,以别士庶。明代何孟春《馀冬序录》云:"教坊司伶人制,常服绿色巾,以别士庶之服。"因为妓女籍隶教坊,绿头巾即成了卖淫的标志。后来人们便把人妻有淫者称为戴绿头巾。清代翟灏《通俗编》曰:"又以妻之外淫者,目其夫为乌龟,盖龟不能性交,纵牝与蛇也……国初之制,绿其巾以示辱盖古赭衣之意。"

　　衣服的纹饰也不得僭越,明代规定:"一品大独花,径五寸;二品小独花,径三寸;三品三答花,无枝叶,径二寸;四品五品小杂花纹,径一寸五分;六品七品小杂花,径一寸;八品以下五纹。"清代规定文武官因品级而纹饰不同:"一品文绣鹤,武绣麒麟;二品文绣锦鸡,武绣狮;三品文绣孔雀,武绣豹;四品文绣雁,武绣虎;五品文绣白鹤,武绣熊;六品文绣鹭鸶,武绣彪;七品文绣鸂鶒,武绣犀牛;八品文绣鹌鹑,武同七品绣犀牛;九品文绣练雀,武绣海马。"

另外,穿衣忌裸露,所谓"男不露脐,女不露皮"。之所以如此,也是缘于对父母的尊敬。"身体发肤,受之父母,不敢毁伤"。

唐代酒具

第九章 欢娱房中

　　房中术主要讲男女交合之道，是我国古代养生文化中的奇葩。所谓"房中"乃是指房帷之事，属于私生活的一部分。我国传统哲学认为，有万物然后有男女，有男女然后有夫妇，如此阴阳相合，才会生生不已。无男女之合，就不会有人类的代代相延。所以房中术的第一文化要义就在于繁衍后代，第二文化意义在于和顺夫妻。

　　房中术成为养生的重要手段，归功于道教。在道教的影响下，房中术更侧重于健康、快乐的功能，着重于延年益寿。去掉道教房中养生的糟粕，我们可以看到，房中养生一强调夫妻好合，二重视夫妻交合之道。而这两方面的统一，就能使夫妻恩爱。实际上恩爱夫妻大都是长寿夫妻。

明代高濂房中养生之道

阴阳好合,接御有度,可以延年。入房有术,对景能忘,可以延年。毋溺少艾,毋困倩童,可以延年。妖艳莫贪,市妆莫近,可以延年。惜精如金,惜身如宝,可以延年。勤服药物,补益下元,可以延年。外色莫贪,自心莫乱,可以延年。勿作妄想,勿败蒙交,可以延年。少不贪欢,老能知戒,可以延年。避色如仇,对欲知禁,可以延年。

一、采补固精　难圆其说

在道教的影响下，房中术又被称为黄赤之道、男女合气之术、彭祖术、素女道、玄素术、容成术、采战术。道教房中养生有两个重要观点，一是采补；二是固精。采补就是采补女子的"阴精"

彭祖

和男子的"阳精"以滋补自己的身体，达到延年益寿的目的。固精就是固守精液。古代房中家认为男性性器官射出的"阳精"和女性性兴奋时分泌出的"阴精"（唾液、乳液、阴液）是最宝贵的，精液乃生命之本，丧失精液就会折损寿命。《内经》云："善养生者，必宝其精，精盈则神全，神全则身健，身健则病少，神气坚强，老而益壮，皆本乎精也。"房中之术成为养生

之术关键在于摄生固精，亦即摄取对方之精液，保存自己的精液。因此，摄取则多多益善，自己精液则要坚固在身。

为了达到采补的目的，古代房中家强调男性要多与女子性交。《玉房秘诀》认为，采阴补阳，性交对象，应多多益善；阴采阳亦然，西王母就是采阳补阴。古代房中养生家还极力渲染多交对身体的好处。《玉房秘诀》说男采女阴补阳，可以永葆青春，肌肤亮泽，身轻目明，气力强盛，能服众敌。不仅如此，还可以令人长生，甚至登仙，古代寿星彭祖的老师善于房中术，活了三千岁。汉代寿光行容成公御女术，活了一百五六十岁。女采男阳，同样能保证女子青春靓丽，颜色照人。《玉房秘诀》说："以阳养阴，百病消除，颜色悦泽，肌好，延年不老，常如少童。"

古代房中家要求一方面多交,另一方面则要少泄固精,达到还精补脑。男人应多交,但最好不要射精,或者少射精,因为精液是男人最宝贵的东西,精泄会伤身。不懂得这点,只知御女多多,就会有杀身之祸,葛洪告诫:"御女多多益善,如不知其道而用之,一两人足以速死耳。"房中养生之要在于多交固精有益,泄精有害。《玉房秘诀》指出,精泄则身体怠倦,损伤眼睛、咽喉、骨节。反过来,保存精液,则可使之逆行入脑,古称为黄河逆流、牵白牛、斩白龙,如此可健脑除病。《素女经》说房中之要在于多御少女而不泻精,如此使人身轻,消除百病。保存精液的目的在于还精补脑。葛洪在《抱朴子·释滞》中说:"房中之法十余家,或以补救伤病,或以攻治众病,或以采阴益阳,或以延年益寿,其大要

在于还精补脑之一事耳。"也就是说,只有还精补脑,才能医治百病,延年益寿。

古代一些房中理论还提出一套还精补脑的方法,主要是在将要射精之时,用手指按住阴囊后,吐气磨牙。《玉房指要》指出,在交接时,精欲泄,则速以左手中央两指按阴囊后肛门前,抑制射精,不断吐气,并琢齿数十遍,则精上行入脑。孙思邈在《备急千金方》中

玄女

将这种方法描绘得更为详细，即在修习交合之时，常以鼻吸气，以口微微吐气，自然益矣，这样可以得气；在欲泻精之时，应当闭口，张目，闭气，握拳，两手左右上下伸缩，缩腹吸气，收敛阴囊和小腹，并迅速用左手中、食指紧压肛门前的会阴处，张口长久吐气，叩上下齿千遍，则精气上提而补脑，使人长生。

其实，房中家要求男子多御女而不泄，与古代一夫多妻的婚姻制度不无关联。《礼记》中说天子立六宫、三夫人、九嫔、二十七世妇、八十一御妻。诸侯有九妇，卿大夫一妻二妾，士一妻一妾。唐代帝王，皇后之下还有四妃、九嫔、九婕、四美人、五才人、二十七宝林、二十七御女、二十七采女。为满足多妻的性需要，自然要求男子掌握多交而不泄的性交技巧。否则会造成妻妾之间的矛盾，影响家庭的和谐。所以房中家建议与不同女子交媾，并非出于淫乐，而是婚内的性生活和谐。如《周礼》规定，天子一月之中，要保证与他的百位妻妾同房，其法为：初一到初九，与八十一御妻同房，每夜九人；初十到十二，与二十七世妇，每夜九人；十三日，九嫔；十四日，三夫人；十五、十六日，皇后；十七日，三夫人；十八日，九嫔；十九到二十一日，二十七世妇；二十二到三十日，回到八十一御妇。所以唐代的孙思邈说一夜御十女而固精不泄，就是房中术的真谛。

　　然而，在多御女可以长生的思想影响下，我国古代许多帝王把房中术作为淫乐的工具，而妇女则成了他们的性奴。南朝刘宋的孝武帝刘骏、废帝刘子业都极为淫乱，明帝刘彧还令宫女裸体而观之，一次明帝在宫中大宴，令宫女跳脱衣舞，皇后以扇遮面，羞于观看，明帝一怒之下将皇后赶走了。隋炀帝以房中术求长生，任意淫荡。他下令修筑了一座方圆二百里的西苑，内分十六院，每院二十八佳丽，伴其修房中术。他又见房中术中提倡与幼女交合，遂命令修了一座"迷楼"。还造了一部车，名为御童女车。由于大肆淫乐，渐渐体力不支，不得不以金丹助兴，最后被卫士所杀。五代南汉后主刘铢亦是滥修房中术，不仅与后宫女子淫

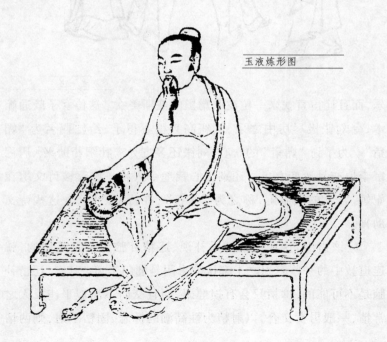

玉液炼形图

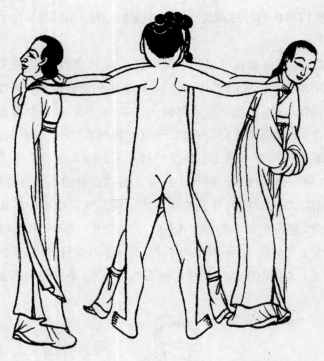

合气之一法

乐，而且让宦官找来一位皮肤黝黑的波斯美女。这位女子颇通媚术，令刘铢极尽房中之乐，刘铢高兴得不得了，给她赐名为"媚猪"。为了讨"媚猪"的欢心，刘铢还多方寻求壮阳药助兴。唐穆宗李恒亦是迷恋女色，还别出心裁地令人将一些淫秽诗文绣在妃嫔、宫女的衣服上，称之为"诨衣"，在行幸之时，念这些诗文助兴。

应该指出，这些所谓的采补说、还精补脑说都是荒唐的，就连道教中的一些有识之士都认为采阴是邪门歪道。其实，还精补脑是不可能的，抑精只会有损健康，而且交而不泄似乎违反人之常情，一般男女交合，以射精为性高潮的标志，固精不射，则两情难以达到欢悦的程度。对女性而言射精是最终的性刺激,当射精时女性会尽力迎合,同男性一起享受这最终的欢乐。如果固精不射,女性则难以分享这最后的甜蜜,会有怨恨之心。采补,无论男采女阴还是女采男阳,皆是损人利己之法,女采男阳则男损,男采女阴亦如此,一方受损,何有两情相悦?摄女阴固精以长寿似无科学依据,古代皇帝为达到长生目的,召成千上万的少女供其摄生之用,但称得上高寿的皇帝寥若晨星。

所以,采补摄生是谎言,性生活的和谐才是真正的摄生,因为双方都从对方的性兴奋中感受到生命的力量,两性的情爱可以促进血液循环,使肌肉和关节富有弹性,扩展动脉。我国古代的房中术对夫妻性生活的和谐大有补益。

二、交接之术 乐在其中

房中术即是男女欢娱之术,教人如何才能享受性生活的快乐。我国古代有相当多的文献阐释房中术。汉代有《容成阴道》、《务成子阴道》、《尧舜阴道》、《汤盘庚阴道》、《天老杂子阴道》、

"双修"的欢喜佛

《天一阴道》、《黄帝三王养阳方》、《三家内房有子方》等,可惜已失传。现存的有 1978 年在长沙马王堆汉墓发现的《养生方》,其中《合阴阳》和《天下至道谈》对性生活给予了详细的阐明。现存的还有《素女经》、《玄女经》、《彭祖经》、《玉房秘诀》、《洞玄子》、《子都经》等。这些经典对于增强夫妻欢娱之情,提高性生活的质量,保证婚姻生活的幸福具有一定意义,故影响及今。

1.男女同悦

我国古代虽然男尊女卑,但在夫妻生活方面要求夫唱妇随,举案齐眉,在性生活方面更是强调两情相悦,任何一方都不是泄欲的工具,而是性生活的主人。男女在欢娱时必须相互感应、配合默契,迎来送往。男女性生活是无声的心灵交流,没有相互的迎合,没有心灵的感应,就不会有真正的性生活的快乐,只有两情相悦才能享受性生活的快乐。从这方面说,道教的房中养生更体贴妇女,更多地考虑了妇女的生理与情感的需

并肩而坐的欢喜佛

要。马王堆出土的房中养生就主张在女性性欲未调动之前，不要性交。《洞玄子》说，欲射精之时，必须候女快，与精一同泄。又说，如男摇而女不应，女动而男不从，则会损害男女双方的身心。因此，男女要相互接应，同欢同乐，不能一方被动，一方主动，而是双方主动。否则会有损男女的健康。

莲花座上的欢喜佛

性生活之乐，乐在两情相悦，同心而欢。《玄女经》指出，阴阳应该相互感应，阳不得阴不乐，阴不得阳不兴。所以男女交接之时，男有欲望而女不乐为之，或女有意而男无兴致，则是两情不和，无欢喜之心。只有男欲求女，女欲求男，情意合同，双方相悦，男因女而阴茎勃起，女因男而阴道湿润，此时相交才能享受性生活的快乐。

两情相合、同心相结还可以相互促进性欲。《素女妙论》认为男女交合的快乐是双方的真情流露，没有真情，就不会有真正的性快感，"两情相和，气运贯通，则短小者自长大，软弱者自坚硬也。……得修养之术，则阴助阳，呼吸吐纳，借水救火，固济真宝,终夜不泄"。

2.行房有节

房事不可无,也不可过度,有节制的性生活是健康的来源,房事过度,没有节制,则有损寿命,导致疾病。唐代的孙思邈认为房中术的目的在于节欲养生,补益却病。"然长生之要,其在房中。上士知之可以延年除病,其次不以自伐。然此方之作也,非欲

飞腾的欢喜佛

务于佚,苟求快意。务求节欲以广养生也,非欲强身力,幸女色以纵情,意在补益以遣疾也。此房中之微旨也。"古人提倡有适度的房事,告诫人们过度行房会损害健康。古人云:"二八佳人体似酥,腰中伏剑斩愚夫,虽然不见人头落,暗里教君骨髓枯。"

其一,导致肾亏。《灵枢经》云,房事过度会伤肾,《三元延寿参赞书》也告诫:"强力入房则精耗,精耗则肾伤,肾伤则髓气内枯,腰痛不能俯仰。"《寿世保元》指出精乃肾之主,沉醉淫欲就会伤精而肾亏,肾亏则火必胜,胜则克肺金,金水既病,则五脏六腑皆受损。

其二,减损寿命。如果纵欲过度就会减损寿命,甚至暴亡。《内经》告诫人们不要以醉入房,否则会使身体衰老。《千金药方》则警告:"恣其情欲,则命同朝露也";"倍力行房,精髓枯竭,唯向死近";"精少则病,精尽则死"。纵欲是一条通往死亡之路。

其三,腐败器官。古人认为,虽然饮食男女为人之常情,但不节制房事,纵欲无度,还以壮阳助阴之物助其兴,则会腐败性器官。《济阳纲目·延年》称:"饮食男女,人之大欲也。不可已,亦不可纵,纵而无厌,疲困不胜,乃寻药石以强之,务其斯欲,……其毒或流为腰疽,聚为便痈,或腐其龟者,烂其肛门。"

养生之道在于保存精液,而纵欲使精液过多泻出,从而损害身体;反之节欲保精则可长生。葛洪提出,不要摇动精液,不要劳损形体,不要思虑萦萦,如此就可以长生。张景岳说:"欲不可纵,纵则精竭;精不可竭,竭则真散。"节欲保精不仅使自己长生,而且有利于优生。孙思邈说:"胎产之道,始求于子,求子之法,男子贵在清心寡欲以养其精,女子应平心定志以养其血。"男子纵欲泄多则精液质量不高,女子纵欲则血气不足,这样必有害于生育。

当然,保精不是不泄,精满自溢。但泄必有时,根据年龄、身体状况来合理规划性生活的周期,有节制地过自己的性生活。《素女妙论》说:"凡人年少之时,血气未充足,戒之在色,不可过欲暴泄。年已及壮,精气满溢,固精压欲,则生奇病,故不可不泄,但不可太过,亦不可不及。"汉代的董仲舒也要求谨于房事,认为人在年轻力壮时可以隔十日一房事,随着年龄的增长、体力的衰退,房事间隔亦相对增长。《素女妙论》要求男子根据自己的精血充足状况安排性生活的频度,并提出了各个年龄阶段每月可行房事的次数,非常具体。《千金要方·房中补益》要求男子行房要有节制:"御女之法,能一月再泄,一岁二十四泄,皆二百岁,有颜色,无疾病。……人年二十者,四日一泄;三十者,八日一泄;四十者,十六日一泄;五十者,二十一日一泄;六十者闭精勿泄也。若体力犹壮者,一月一泄。凡人气力超人者,亦不可抑忍,久忍不泄,致生痈疽。"老年人更应节制自己的性欲,否则会危及身体。当然,老年人节制性欲,并不否定一切性关系,应该有相互的爱抚、拥抱、接吻,绝对不是男女身体绝不接触,男女身体不接触,不符合阴阳之道。

对于身体虚弱的人来说,尤其要注意节欲。《千金翼方》引用彭祖的话说:"上士别床,中士异被,服药百裹,不如独睡。色使目盲,声使耳聋,味使口爽,苟能节宣其宜适,抑扬其通塞者,可以增寿。"根据身体状况选择独睡、分床、异被。因为这样可以避免性刺激,最终避免性行为。避免性行为则有利于保养身体,所以"服药千朝,不如独宿一宵"。

合理的性生活不仅考虑身体条件,而且要与时令相宜。古人提出行房要遵循"春二、夏三、秋一、冬无"的规律,即春天每月2

次,夏天每月3次,秋天每月1次,冬天则禁止房事。

而且告诫男女不要过早地涉于性生活,过早的性生活会影响人的发育,损伤人的元气。清代的汪昂在《勿药元诠·色欲伤》中说:"男子二八而天癸至,女人二七而天癸至,交合太早,斫丧天元,乃夭之由。""天癸"就是男人的精液和女人的月经,也就说男人16岁遗精,女人14岁来月经,在这时进行性交会损伤元气,导致早衰早亡。《三元延寿参赞书·欲不可早》亦提醒:"男破阳早,则伤其精气,女破阴太早,则伤其血脉。"《褚氏遗书》要求男三十而娶,女二十而嫁,"男虽十六而通精,必三十而娶;女虽十四而天癸,必二十而嫁。皆欲阴阳完实,然后交而孕,孕而育,育而子坚壮强寿。"男女生理发育成熟,然后婚嫁生育才能达到优生的目的。

3.行房有术

古人特别强调性生活的原则与技巧,"圣人合男女必有则",即学会七损八益之道,要求充分做好性交前的嬉戏,掌握性交过程中相互迎合、阴茎抽送的技巧,同时变化性交的体位。如此才会性趣昂然,其乐无穷。

(1)八益七损

古代将正确与不正确的性行为概括为"八益"、"七损"。在性生活中要掌握这一原则。《天下至道谈》指出:八益:一曰治气,二曰致沫,三曰知时,四曰畜气,五曰合沫,六曰窃气,七曰持盈,八曰定顷。七损:一曰内闭;二曰外泄;三曰竭;四曰勿;五曰烦;六曰绝;七曰费。

"八益"是性交的八大要领,合乎这些要求则是快乐而有益的性生活;"七损"是不当的性行为,如此性交所造成身体的伤害。张朱根、吕明方、赵国仁等人将"八益"解释为："治气"为导引调理元气,使肾的精气充沛;"致沫"即收缩肛门,吞咽津液,使阴精之气达下部;"知时"为掌握交接的适宜时机,《天下至道谈》解释为"先戏两乐,女欲为之,曰知时";"畜气"即交接时利用收缩肛门导气下行的方法,蓄积阴精之气;"合沫"为交接时"勿亟勿数,出入和治","但当从容安徐,以和为贵";"窃气"即在性交射精后,阴茎尚勃起时,便抽出停止性交;"持盈"为维持气血充盈,安静地休息以待精力恢复;"定顷"为安定神气,使阴器不致倾萎,强调在阴茎尚未萎软时速素离去。《天下至道谈》将"七损"解释为"为之而疾痛,曰内闭;为之出汗,曰外泄;为之不已,曰竭;臻欲之而不能,曰勿;为之喘息中乱,曰烦;弗欲强之,曰绝;为之臻疾,曰费。"也就是性交造成疼痛为"闭";性交时盗汗为"泄";频繁性交而使津液耗竭,为"竭";想性交而阳痿不能交接,为"勿";交接时心中烦乱,为"烦";对方无欲而强行之交接,为"绝";性欲没有调动起来而急于交接,为"费"。这就告诫人们在性交痛、性交盗汗、精液稀少、阳痿、心中烦闷、一方无欲望、性未唤起与兴奋的情况下不要性交。

懂得了八益七损之道,在性行为过程中善于用八益去七损,则耳目聪明、身体轻便、阴气益强、延年益寿;反之就会有害于身体,未老先衰。《内经·素问》说:"能知七损八益则二者可调,不知用此,则早衰老之节也。"

(2)性前嬉戏

性交前的嬉戏目的在于男女同乐。在性交前男女双方要有充分的嬉戏,进行肌肤的爱抚、触摸性器官,从而使两情相乐。

《合阴阳》指出男女性嬉戏的方法,就是要充分抚摩女性身体各性感部位,使女性全身都进入预备状态,"使体皆乐养,悦泽

不同的交合体位

"前入位"是人类常用的性交方式

亲昵

作爱

以好"。此时女方会乐为交合。当女性欲望调动起来,也不要急于交合,而是根据女性的反应逐步进入交合状态。《合阴阳》又说:"虽欲勿为,作相响相抱,以恣戏道。"其"戏道:一曰气上面热,徐响;二曰乳坚鼻汗,徐抱;三曰舌溥而滑,徐屯;四曰下汐股湿,徐操;五曰嗌干咽唾,徐撼,此谓五欲之征。"也就是当女性面颊发热时,则张口出气;当乳头竖起,鼻出汗时,则慢慢拥抱;当女性舌苔薄而滑时,则则相互依从;当阴道湿润并沾湿两腿,则慢慢操动;当其咽吞唾液,则慢慢摇动。

《洞玄子》性嬉戏的目的在于男女双方相互感应,同心同意,整个嬉戏过程为,男将女抱入怀中,抱紧女腰,抚摩女体,两情缠绵,时抱紧时抱松,两人贴在一起,接吻,相互吸吮,有时轻轻咬舌,又轻轻咬唇,有时贴面拈耳,抚摩上下,吻遍周身。如此性器官充分调动起来,阴茎坚挺,阴道湿润。此时即可交接。如果刺激性欲,男女性器官无反应,则必有病在身。

《广嗣经要》云:"男女未交合时,……男有三至者,谓阳道奋昂而振者,肝气至也;壮大而热者,心气至也;坚劲而久者,肾气至也。三气俱足,女心之所悦也。""若夫女子有五至者:面上赤起,眉黡乍生,心气至也;眼光诞沥,斜视送情,肝气至也;低头不语,鼻中涕出,肺气至也;交颈相偎,其身自动,脾气至也;至户开张,琼液浑润,肾气至也。"

男子三气俱足,女子五气至,双方处于性兴奋状态,如此性交,才会享受性生活的快乐,也才会增强各自的生命力。反之,男女情欲未形于外而交接,则难有性生活的快乐。

(3)相互迎合

《玉房指要》云:"交接之道,无复他奇,但当从容按徐,以和为贵,玩其丹田,求其口实,深按小摇,以致其气。"亦即在性交过程中男女双方都会出现性反应,表现出躯体、声音的变化,男方要迎合对方的变化,增加刺激力度,使女性达到性高潮,从而保证性生活的和谐与欢娱。《天下至道谈》说:"八动:一曰接手,二曰伸肘,三曰平甬,四曰直踵,五曰交股,六曰上钩,七曰侧钩,八曰振动。""接手者,欲腹之傅;伸肘者,欲上之摩且据也;侧钩者,旁欲摩也;交股者,夹太过也;直踵者,深不及也;上钩者,欲下摩也;平甬者,欲浅;振动者,至善也,此谓八观";"五音:一曰候息、二曰喘息、三曰累哀、四曰疢、五曰断。审察五音,以知其心,审察八动,以知其所乐所通。"男性要根据女性的身体变化改变性交的方式,女性拉手是想使腹部贴近;伸肘是想使阴户上部得到摩擦;直勾脚则希望深插;侧勾腿是想阴户左右得到摩擦;上勾双腿于男身上是要阴户下部得到摩擦;身体向上耸是想浅插;身体振动则希望久交不出。同时根据女性呼吸声来调整自己性交的动作。

石雕:欢喜佛

《素女妙论》也描绘了女人在性交过程中的表现,所谓"五欲"、"十动"。"五欲"为女人的五种性兴奋的表

石雕：男女相交

现，这五种表现包括女人的面部表情、呼吸、动作和性器官的状况，男人要根据这些调整性交动作，如当女人面部赤热、性欲激发时，可以做爱，使女人情欲高涨。"十动"也是女人性要求和性兴奋的十种表现，包括女人的身体动作、呼吸、戏语、声音、眼神、面部表情、身体的热度、性器官的状况等，这些表现代表不同的性要求，男人亦要作出相应表示，使双方共进性生活的佳境。如当女人抱紧男背，偎依男人身边，则是要求做爱的表现。了解女人这些表现，男人以相应动作迎合，就能使两情相得益彰。

（4）抽送技巧

房中术讲究阴茎抽送的技巧，要注意缓慢与深浅。其方法有"二九"、"三九"、"四九"、"五九"、"六九"、"七九"、"八九""九九"等法。唐代的孙思邈认为抽送缓慢，出入徐徐，会达到良好的养生效果。《合阴阳》的"十修"就是要求抽送注意方向、缓急、深浅。"十修：一曰上之、二曰下之、三曰左之、四曰右之、五曰疾之、六曰徐之、七曰希之、八曰数之、九曰浅之、十曰深之”。插入深浅取决于性交体位，《玄女经》要求龙翻法则行八浅一深；虎步法行五八之数；蝉附法行六九之数；凤翔法行三八之数；《素女妙论》云，采取龙飞势则行八深六浅之法；虎步势则行五浅六深之法；猿搏势行九浅五深之法；蝉附势行七深八浅之法；凤翔势行九浅八深之法；鹤交势行九浅一深之法。《素女妙说》有九浅一深之法：“浅插九回，深刺一回以呼吸定息为度，谓之九浅一深之法也。”

（5）变化体位

《合阴阳》所谓“十节：一曰虎游、二曰蝉附、三曰尺蠖、四曰困尺蠖即身体向上弯曲成弧形。五曰蝗磔、六曰猿搏、七曰瞻诸、八曰兔鹜、九曰蜻蛉、十曰鱼嘬”。此十节是十种性交体位。关于各种体位，《玄女经》、《素女妙论》、《洞玄子》做了详细描绘。《玄女经》描述了“九法”：龙翻、虎步、猿搏、蝉附、龟腾、凤翔、兔吮、鱼接鳞、鹤交颈。《洞玄子》列举了三十种性行为的体位，前四法为性交前的嬉戏，后廿六法为性交体位。

总的说有两种性交体位，一是男女面对面，一是女背向男。性交体位的变化可以使男女双方寻求不同的性交感觉，保证两情欢娱，消除百病，达到养生的目的。性生活可以预防疾病，如美国科学家研究证明，性交可以预防高血压。性兴奋据说还可以治疗抑郁症。不过不同体位是否有不同治疗作用，尚待科学研究。

（6）射精技术

何时射精才使身体充分受益？《合阴阳》认为需“十动”而射精，也就是达到抽送一百次才射精，而且每增一动都会带来一份好处。可以也就是使人的耳目、皮、骨、脉络得到保养，健康常在。射精时还要保证与女同乐，与女同享性高潮的欢情。

这里要指出，以上所有行房技术都是为了男女和顺而体现男女和顺。一阴一阳之谓道，阴阳调和，才有生生不已。古人认为有夫妇然后有父子君臣，所以男女交接为人伦之源，"交接，人伦之原也。"即由交接之道而生人伦之常，绝不是为了淫乐。交接之道即是和顺。不和顺则难达人伦之道，两情难以相悦；和顺则达人伦之常，即可以产生亲睦、敬爱之情。《素女妙论》说两情不相悦在于互不了解、相互怨恨、相互背叛、一方贪欲无度，夫妻不和顺难生敬爱之心，就谈不上其他伦理道德，只有和顺才能生亲睦相敬之情，男女八字相合，意气相投，恩恩爱爱，则会相互敬爱，相互敬爱就会延年益寿，儿孙满堂。代代相传才是生命的最终目的，而这一目的的伦理基础就是和顺。

三、行房禁忌　生生不已

古人认为行房要考虑人的生理、心理状况、自然环境，以保证房事和谐愉快，男女恩爱不绝，而且后继有人。《玉房秘诀》指出男女交合有七忌，即忌日期、忌雷雨、忌饮酒饱食、忌刚小便、忌疲劳、忌刚沐浴、忌有内伤。《彭祖经》云房事有天忌、人忌、地忌三忌，天忌指大寒大热，大风大雨，日月蚀，地动雷电；人忌指醉饱喜怒，忧悲恐惧；地忌指山川神祇，社稷井灶之处，如犯此三忌，既致疾病，子必短寿。《寿世保元》也指出心情不好、身体疲惫、病未痊愈、忍小便而行房对会损害身体的健康。《三元延寿参赞书·欲有所忌篇》列出了 12 项行房禁忌：忌饱食过度；忌大醉入房；忌燃烛行房；忌忿怒中尽力房事；忌远行疲乏入房；忌月事未绝而交接；忌金疮未愈而交会；忌忍小便入房；忌服脑麝入房；忌目赤入房；忌多食大蒜入房；忌病未愈行房。清人石成金将房事禁忌概括为八字,即寒、暑、雷、雨、恼、怒、醉、饱。"上四字乃天时所忌,下四字乃人体所戒",能禁才能保延寿命。

综合古代的文献,行房禁忌有如下几方面:

(1)自然禁忌

忌暴风雨雷电。风雨雷,天地震撼,破坏了人体的阴阳平衡,引起男女双方的情绪和血脉的不平衡,此时行房,则会引导邪气上身。

忌寒暑。酷热交合易导致虚脱;严寒交合不利于颐养。

忌日月蚀。月的阴晴圆缺影响人的生理变化,《内经》指出,一月之内,在月满前后,人的血气充足,肌肉有力,适于性交;月缺时,身体相对虚弱,应忌性生活,以保精气。

(2)场所禁忌

忌墓地、忌庙宇、忌灶、井、厕。墓地阴胜,灶台、庙宇神圣,井为生之源,乃洁净之地;厕为不洁之所。在这些地方行房于己无益。

(3)日期禁忌

忌五月十六。古人认为五月十六是天地牝牡日,不可行房。

《素女论》云:"五月十六日,天地牝牡日,不可行房。犯之,不出三年必死。何以知之?但取新布一尺,此夕悬东墙上,至明日视之,必有血,

古代的鸟、鱼图案,鸟象征男根,鱼象征女阴,结合在一起表示吉祥。

古代性教育工具——"压箱底"

切忌之。"

忌六月六日,此日为清暑斋日,忌男女同房。

忌七月七,"七月初七为道德腊,十五日为中元,戒夫妇入房"。

忌父母丧期,在父母丧期寻欢作乐为大不孝。

还有忌冬至和夏至日,忌初一和十五。

(4)身体禁忌

忌女子经期、孕期。经期绝对禁止性交,此时性交会导致妇科疾病,甚至不孕。孙思邈称:"妇人月事未绝而交合,令人成病。"不仅损伤女人,而且有损男子的健康。

孕期,特别是妊娠三个月和分娩前一个月要禁止性交,否则会导致胎儿发育不良,甚至流产、早产。明代医学家万全指出流产的原因在于男女贪淫好欲,在孕期未节制性欲。妇女分娩后宜加调养,以便恢复血气,在分娩后即性交,女人气虚体弱,容易邪气上身,引起病痛。孙思邈说:"妇人产后百日以来,极须殷勤,……凡妇人皆患风气脐下虚冷,莫不由此,早行房故也。"分娩后行房过早会导致妇人疾病。

忌醉饱。酒醉及饱食行房会损伤身体。

忌喜怒。大喜大怒，不宜行房。因为"忧怒既伤于神，色欲又伤于精，精神既伤，此危道也"。

忌血缘近亲。所谓同姓不婚。

忌小便胀。《三元延寿参赞书》云："忍小便入房者，得淋；茎中痛，面失血色，或致胞转脐下，令痛死。"

明代春官画

忌刚小便、忍便。刚小便，精气不足，经脉不活，刚小便不宜行房，但在交接之前还是要排空大小便，忍便而交也会疾病上身。《医心方》说："当溺不溺以交接，则病淋，少腹气急，小便难，茎中疼痛"；"当大便不大便而交接，即病痔，大便难"。也就说，小便不便而交，会导致阴茎疼痛；大便不便而交，会造成痔疮。

忌新沐浴。一沐浴完就行房，此时肌肤未开，让人短气。

忌患病和大病初愈，《玉房秘诀》说："凡服药虚劣及诸病未平复合阴阳，并损人。"《三元延寿参赞书》也说："时病未复，犯者舌出数寸死。"患有各种慢性病者在康复过程中必须禁房事。

另外还有忌损伤筋骨，忌冷风冷饮，忌产后行房。一般说，身体禁忌有科学依据。

（5）容貌禁忌

"窈窕淑女，君子好逑"。好女有妇德妇貌，"妇德内美也，妇貌外美。"与好女相合，可以养性延年，反之则折损人。古人认为，好女的标准为皮肤光滑圆润，德性柔顺，发丝亮泽，面容娇好，声音轻柔等等。恶女则忌之。

（6）年龄禁忌

《礼记》说男三十而婚，女二十而嫁，男女年龄差异要适中，相差太大则就会折损对方。《洞玄子》说："男年倍女损女，女年倍男损男。"

（7）奸淫禁忌

万恶淫为首，淫人妻女必遭报应。古人说："赌近盗，奸近杀"。男女婚姻当守夫妻之道，而违背阴阳之道，就会折损年寿。

（8）方向禁忌

即讲究行房时头的朝向。

清代戒淫木牌

总之，古人要求行房要注意禁忌，选择好时间、场所，保持男女两性的心情愉悦和身体健康，如此行乐，既享受性生活的快乐，又达到养生的目的，不仅自己延年益寿，而且惠及后代。也应该指出，有些禁忌有科学依据，如酒醉入房，胎儿易畸形，有些则是斋戒、孝道的要求。

四、性药助之　性趣昂然

性应与人生相始终，正常的性生活能起到延年益寿的作用，即使是老年人也要进行正常的性生活，应经常爱抚、拥抱和接吻，保持性生活的兴趣。但是由于各方面原因导致性生活不协调，则采取性药助之。

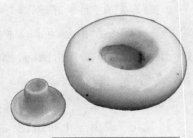

清代春药的瓷缸

我国古代有许多性药刺激人的性欲，如媚草、庞降、秃鸡散、三厘散、火龙符，沉香合、紫金铃。这些药可以内服外用，其作用则是增加性趣，补益阴阳。《备急千金要方》、《御用院方》、《养生方》、《御院药方》、《摄生秘剖》等医书中均有药方，有主治阳痿的，如天雄散、石硫黄散、助神丸等；有主治早泄的，如百花如意酣春酞，以玫瑰花、蔷薇露、梅花蕊、桃花瓣、韭菜花、沉香用之；有主治遗精的，如以人参、麦门冬、赤石脂、远志、续断、鹿茸等治之；或以白茯苓治之。有治阴道松弛的，如勺方：以蜗牛、干姜、桂、要苕、蛇床、蜜、枣脂、桃实等治之。

民初春药盒

应该说，我国古代的这些刺激性欲、增强阳具功能的药方给许多人带来了欢乐。今天仍然需要挖掘这方面的良方益药，让更多的人享受性生活的快乐。但性药毕竟是药，虽可以助性，却也要慎用。

《二刻拍案惊奇》中甄监生为了坚挺久战,在性交时吃了道士的秘药,结果令阴茎不得出而暴亡。所以,"服药三朝,不如独宿一宵,前哲之诚也"。同时,也不要迷信春药壮阳的神奇效力,有些可能是欺骗,如明代的高濂指出"纵而无厌,疲困不胜,乃寻药石以强之,务快其欲",终为药物所害。汪价也说那些纵欲之徒采蛤蚧偶虫为媚药,取山獭之势以壮阳道,以海狗鞭助房中之兴,以御女采阴图长生,都是自欺欺人。

清代春宫画

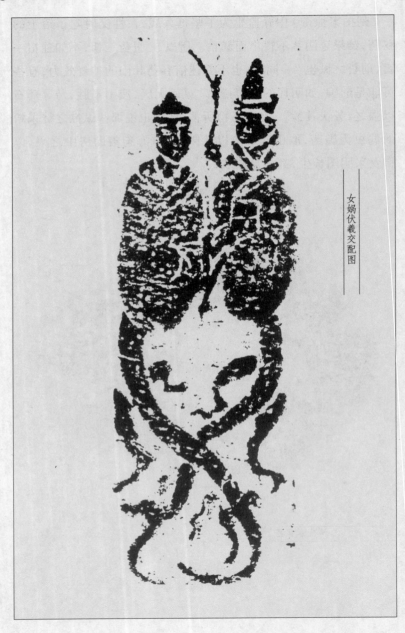

女娲伏羲交配图

第十章 闲情逸致

　　古人认为享受闲情逸致可以养性悦心，怡生安寿，因而把闲情逸致作为养生的重要内容。古代名医石天基说，人生在世，需要随事安乐，能就事安乐，自然日日时时享受自在快乐之福，如此则得怡养年寿之道。这也就是要求人们享受生活的一切，包括享受闲暇的生活。人在闲暇生活里，可以享受人间、自然的一切美景，可以栽种花草，吟诗作赋，摆弄琴棋书画，可以出游，极尽人之所兴。汉代董仲舒说，有仁爱之心的人大都长寿，其原因除了内心清净平和外，就是取天地之美仪以安养其身。明代的高濂说自己喜欢闲暇生活，在闲日里，可以好古之雅，稽古之学，唐虞之训，求宣尼之教；也可以研究钟鼎卣彝，书画法帖，窑玉古玩，文房器具；还可以焚香鼓琴，栽花种竹，备注条列，用助清欢。闲时能清心乐志，可谓得养生之要。

仕女弈棋图绢画

一、四美二难　清享幸福

中国人以福为人生的圆满。何谓福？唐代诗人王勃说："四美具，二难并。""四美"即指良辰、美景、赏心、乐事。"二难"指贤主、嘉宾。清人石成金认为养生就要清享这"四美"、"二难"。这"四美"、"二难"即是客观对象的美和人际关系的和谐。能珍惜、享受四美二难，就是享受人间的幸福。那些生在福中不知福的人，不会欣赏身边的良辰美景、赏心乐事，不珍惜人与人的知心知情，就是不会生活的人，就是不懂养生的人。"不知上天与之而不知,错认上天吝之而不与也,良可叹息。"

当然,要享清福,就要知福。石成金将四美二难分成十六类,即清享、清时、清景、清居、清具、清侣、清游、清话、清服、清馔、清韵、清芬、清体、清事、清快、清戒。

清享,包括海内升平;大有年;骨肉无故;康健;衣食粗足;寿;体无残缺;耳聪目明;阖家和乐;闲;官私无负;有花有酒。

清时即良辰,包括春晓;惠风和畅;春宵;夏日微风;日长如小年;天清气爽;万籁无声;冬暖可步;雪晴晓色;天朗气清;久雨初霁;大小时节;不寒不暑;花开;明月夜。

清景,包括六十九项令人陶醉的美景,如"园林花绣";"杨柳舞风";"梨花带雨";"春水溶溶";"芳草碧连天";"荷钱点水";"水天一色";"月移花影";"晴雪在树";"夕阳返照";"高山瀑布";"石涧流泉"等。

清居有十八景,如 "竹树绕庐";"明窗净几";"嫩绿围门";"红杏出墙";"梨花院落";"流水绕门"等。

清具,包括十七种可供玩赏的收藏和用具,"得意花数种";"奇怪石数块";"满架图书";"名画册页";"厚铺草榻"。

清侣乃宾主之欢、天伦之乐,即是知己;相对忘言;钓徒带烟水相邀;明月随人;稚女学擎茶;山妻补缀供爨;无俗志;真率;客不过求主人。即是朋友情深、儿女孝顺、妻子贤惠、自己脱俗、宾主相宜。

清游为游览观赏之乐,如"郊原踏青";"登高远眺";"信步闲游";"踏雪寻梅";"扁舟听其所之";"缓步寻芳";"画船载酒"等。

清话,包括山水清谈;说世外事;老农话晴雨;问奇;渔樵问答;老僧问偈;谈剑术;诸培花语;品诗画;僧话。实际上是宾主叙闲情逸趣。

清服即是穿自己喜欢穿的衣服,穿自己所爱也是赏心之事。石成金列举其所爱者六:"华阳巾;箬冠;毡幅;布袍;轻衣;棕鞋。"华阳巾是隐士常用的头巾,箬冠即斗笠。

清馔即是赏心的饮食,所谓有酒盈樽,佳肴一二品;山肴野蔬;粥;铲笋旋煮;床头趁酿;烹雪水;煎熟热腐;旋摘园疏就烹;白酒浆;菊花茶。当然,饮食所爱,各不相同,能尽其所爱,亦是赏心之事。

清韵则是令人陶醉的诗情画意、天外来音。如"枕上闻莺";"蝉噪夕阳";"月下歌声";"采莲歌";"雪洒书窗";"菱歌清唱";"蛙鼓蚓笛"等。

清芬则是清香怡人,即是翰墨香;花气如帘栊;水仙丛;芝兰有异香;瑞香架;荷风送凉;茉莉香中坐;丹桂飘香;佛手香橼作供;梅香袭人;一炉清香。既有花香袭人,又焚香之清雅。明代的高濂指出了焚不同的香的不同效果,如"幽闭者,物外高隐,坐语道德,焚之,可以清心悦性。恬雅者,四更残月,兴味萧骚,焚之,可以畅怀舒情"。

清体则日常保健之事,所谓入定;澡身;薄醉;竟日无俗事;饱食暖衣;无患;按摩导引;栉发;盥手;漱齿;濯足;困眠。每天能静心,无忧无虑,做高雅之事,舒展一下身体,洗个热水澡,微微有醉意,好好睡一觉,倒也是神仙生活。

清事即是乐于生活,怡然自得。如"鼓腹徘徊";"坐观垂钓者";"锄园学圃";"日常午睡";"登楼闲眺";"读异书";"春晓晒背";"随意弄笛数声";"随口唱无腔曲";"因闲垂钓意不在鱼";"信手抚琴不拘调"等。

清快乃是清心快意之事, 如 "花开无风雨";"花时人送

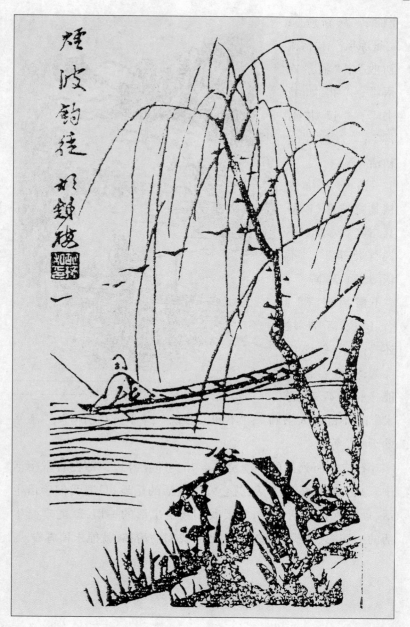

酒"；"病新愈"；"暑凉风"；"宿雨初收"；"触景有悟"；"得如意书"；"读书有得"；"自栽花树初活"等。

清戒为待人接物之戒律，以便宾主之欢。如"不说淫艳事"；"不谈士宦升降"；"不醉后多言"；"不说富贵往还"；"不妄评诗文"；"不妄自逞能"；"不畜恶

明版画桃花矶

犬"；"不乱翻人书画"；"不间人妙谈"；"不折花伤树"；"不暴殄天物"等。

石成金所列举的各项美事，其实即在身边，即在日常生活中。只要我们乐于生活，就会发现生活的乐趣；只要我们珍惜生活，就能保持生活的美；只要我们接受生活的一切，就能享受生活的一切；只要我们能享受生活给我们的清福，就能永葆青春。

二、读书诵诗　自得其乐

　　书是精神食粮，读书可以通古今之变，增长见识，开阔视野，明白事理，亦是人生一大乐事。我国古代文人大都以读书明理为养生之道。清代的石成金说："读书乃天下最乐之事，实吾人终身极大受用。"因为"书载圣贤言语，古今事迹，一切奇见异闻，无所不备。虽看一时，而知千百年之事，宛然与古人晤对。讽诵其词章，寻讨其义趣，学问日深，道理日新，愚者因之而贤，昧者因之而明。"读书只是与作者对话，读古书即是与古人对话，致知穷理，修身养性。陆游把读书当作享受，往往挑灯夜读，即使生病也不忘读书，把读书当作忘记疾病痛苦的良方，常常忘情于阅读，而疾病不治而愈。他说他生平多难，但只要钻进书中就将所有烦恼都抛在脑后，甚至不知何年何月。当然古人以读书为乐，是乐在书中，不图书外之功名利禄，所谓"书中自有黄金屋，书中自有颜如玉"，把读书作为获得金钱美女的手段，这种读书不能与心性相统一，也就难以达到养生的目的，也就体会不到读书的真正乐趣。石成金说："若为功名富贵而始读书，则非真知读书之乐者矣。"

　　吟诵诗词，抒发情感，陶冶性情，净化灵魂，从而有益身心健康。养生家无不将读诗作为养生手段。清代养生家石成金说，诵读之余，闲暇之际，信口狂歌，任意嬉游，则忘情于世，乐自天来。除了吟诵诗词，也可赋词作诗，自娱其心。《老老恒言》说，偶得诗句，伸纸而书，与一二老友共赏之，不计工拙，亦是一番兴致。古人认为诗可言志，其实，以诗言志不失为养生之道。陆游文化

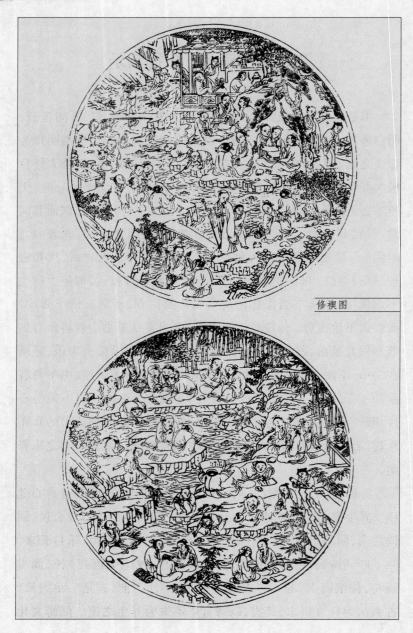

修禊图

生活的重要内容是写诗。他说自己，"损食一年犹可健，无诗三日却堪忧"，"偶尔得一语，快于疏九河"。写诗成了他生命中的一部分，也是他人生快乐的源泉，流传至今的就有九千首之多。他的诗题材广泛，国事时政、民生疾苦、历史人生、节令气候、自然景物、风土人情、亲情友谊、思绪心理、梦幻想象、生活感悟等等，所有这一切都是他抒发情怀的对象。通过写诗，陆游丰富了自己文化生活，充实了他的精神，排遣了内心的郁闷愁苦，从而保持平衡轻松的心态和健康的身体。

读书诵诗是乐，藏书也是乐。明代高濂认为"藏书以资博洽，为丈夫生平第一要事"。他说，凡是能开阔心胸，增长见识，均加收藏，坟典、六经、《史记》、《汉书》、《文选》、诗集、文集、稗野杂著、道释医三家之书无不兼收，并将收集来的各种书籍分门别类，时常玩味，恍如对圣贤面谈，乃千古悦心快目之事。陆游不仅喜爱读书，也以藏书为乐。他在一首题为《读书》的诗里说："放翁白首归剡曲，寂寞衡门书满屋。藜羹麦饭冷不尝，要足平生五车读"。他把自己的书斋取名为"老学庵"，在《题老学庵壁》中写道"万卷古今消永日，一窗昏晓送流年"。

三、琴棋书画　陶冶性情

琴棋书画是古人调摄情志的主要方式。抚琴可以活动手指，灵敏大脑，抒发情怀；书画可以活动身体，排除杂念，畅达神志；弈棋则可解除郁闷，开发智力。

古代书画家多享高寿，往往因为挥毫泼墨能动身形，调心神，乐情志。作书画时可以任其所兴，自由发挥。《老老恒言》说：

"笔墨挥洒，最是乐事。素善书画者，兴到时，不妨偶一为之。"草书则"能纵横任意，发抒性灵，而无拘束之嫌。"宋代文学家欧阳修中年以后独爱书法，把练字当作"人生一乐"，闲余便潜心墨池，乐此不倦。而欣赏书画，亦有"登临之乐"，其乐也融融。如玩味古人书画，"古人手迹所存，即古人精神所寄。牍明几净，展玩一过，不啻晤对古人，谛审其佳妙，到心领神会处，尽有默默自得之趣味在。"明代的高濂认为品画以天趣、人趣、物趣为标准，"余所论画，以天趣、人趣、物趣取之。天趣者，神是也；人趣者，生是也；物趣者，形似也。"石成金则说玩赏绘画而寓身心于其中，则其乐无穷。据说隋朝京都名医莫君锡进宫给隋炀帝治病。莫发现隋炀帝因贪图女色，导致虚劳症，便不以药治，而以画治。莫为炀帝画了两幅画，一为"京都无处不染雪"，一为"梅熟时节满园春"，嘱咐其每日玩味画中的含义。隋炀帝见画，便陶醉其中，想象梅子的酸甜，白雪的晶莹，阵阵寒意涌上心头，渐无口干舌燥、心中烦闷、体倦乏力之感。久而久之，心情舒畅，体力如常。画起到了排遣郁闷、改易心志的作用，从而使人神清气爽。

　　琴可正人心，活动手指，增强手指功能。明代的高濂说："琴者，禁也，禁止于邪，以正人心。"《老老恒言》说："琴能养性，嫌

元对弈图壁画

磨指甲。"宋代的欧阳修"因患两手中指拘挛,医言唯数运动以导其气滞者,谓之弹琴可为。"欧阳修弹琴月余,便恢复了手指的灵活。音乐可以使血脉流通,促进血液循环,也可以促进胃肠蠕动,增加消化液的分泌。《医方类聚》说:"脾好音乐,丝竹才闻,脾即磨矣。"所以沁人心脾的音乐能起到养生祛病的作用。汉代刘向《说苑》载,一次音乐聚会,有的被搀扶而来,有的乘车而来,听完音乐,便平复如初。古人认为音乐有疗病养性的神奇作用,是因为音乐有情性。东汉桓谭的《新论》载:汉文帝召请战国魏文侯的乐师窦公入宫,时年已一百八十岁,双目皆盲,文帝见而奇之,问道:服什么药,能有如此高寿?窦公答曰:年少失明,父母怜悯,教以鼓琴,日常习之,陶然自得,无服药饵。欧阳修说自己曾有忧郁之疾,退而闲居,不能治。后来向友人孙道滋学琴,以宫调式音乐养生,久而久之,心情愉悦,不知疾之在体。

弹琴可对月对花,也可临水而奏。明代高濂说:"对月鼓琴,须在二更人静,万籁无声,始佳。"对花则以"香清色素者为佳",如茉莉、玉兰。临水弹琴,则荷香扑人,微风洒然,游鱼出声。

棋亦是养生之物。古人说"善弈者长寿",因为棋可以屏除杂念,集中心神,消遣时光。《老老恒言》:"棋可遣闲,易动心火。"弈棋本为乐事,目的在于皆大欢喜,应心气平和,不要争强好胜。

四、花卉艺术 赏心悦目

种植花卉可以劳动身体;观花赏木,则可以舒畅心情。清人吴尚先《外治医说》说:"七情之为病也,看花解闷,听曲消愁,有

胜于服药者也。"将自己融入花草丛中,拥抱自然之乐,将所有忧愁烦恼抛到九霄云外,岂不是养生之乐?其实花卉有种种效用,如茉莉、丁香的香气,给人轻松愉快感;薄荷的清凉气味能醒脑清神,菊花的清香可疏肝明目,桂花的馨香沁人心脾,能增进食欲。

荷花

1.花卉栽培

爱花植花赏花是我国的文化传统。早在殷商时期,花卉就由野生变为人工栽培,当时有了"林目之圃",专门栽培观赏植物。汉代花卉的栽培技术已相当成熟,当时的梅花就多达几十种。唐代花已成为商品,有诗云"共道牡丹时,相随买花去"。宋代花卉栽培技术更为成熟,嫁接技术广泛采用,"近时都下菊花至多,人皆以他草接成"。各种花卉著作先后出现,如《百花谱》、《越中牡丹记》、《吴中花品》、《海棠记》等。

花卉栽培一般要考虑温度、阳光、水分、土壤、肥料,同时要掌握花卉的移栽、嫁接、分株、浇灌、培护、修葺、医害、催花等技术。关于各种花卉栽培方法,古人多有研究,如栽洛阳牡丹不能深，深则根不行，而花不发旺。嫁接之要在时之和融，手之审密，封紧之固，拥包之厚。分株则要察其根之文理，乘其间而折之。浇灌重在经常，可在日未出或夜既静之时。修葺可在正月，修去低小乱枝。医害之法，如《种树书》言，月桂虫害，以鱼腥水浇之；桃李虫害，以煮猪头汁冷浇之。催花之法可"用马粪浸水，前一日浇之，三四日开者，次日尽开"。

栽培花卉亦有禁忌，《牡丹八书》说，栽花忌本老，老则开花极小；忌生粪乱草之所，此处多生虫；忌植树下，花不旺。《群芳谱》说，牡丹花忌桂及乌贼鱼骨刺其花梗，如此必死；忌麝香、桐油、生漆等气味，一着便萎落。

2.花卉欣赏

从养生的角度讲，古人认为观花卉：

首先，应观其生机，这是有道理的。因为物之生机必触发人之生机，给人以希望。清人石成金说："凡观一切种种之花，必须观其各有生生活泼之机、袅袅娇媚之态。"如果季季有花开则更绝。《老老恒言》说："院中植花木，不求名种异卉，四时不绝便佳，呼童灌溉，可为日课，玩其生意，伺其开落，悦目赏心，无过于是。"四季飘香，事事躬亲，时有小劳，则可以疏通血脉。

其次，要得其趣。观赏花卉是得其趣味，在乎欣赏的对象，不在乎花卉之名贵，春之桃李，秋之桂菊，夏冬之荷梅皆可，有香有色或有妙处，均可赏之。古人云："野花艳目，不必牡丹，村酒醉人，何须绿蚁？"野花就可以赏目，村酒即可醉人，不需要牡丹，也无需名酒。只要能品味出其中的妙处，就是赏花。荷花高洁，有清香。当盛夏之时，连天碧叶，红色、白色荷花在绿色中摇曳，甚是好看。宋代诗人杨万里有诗咏之，"毕竟西湖六月中，风光不与四时同,接天连叶无穷碧,映日荷花别样红"。荷花"出污泥而不染,濯清涟而不妖"的高尚品格,能净化人的灵魂,唐代诗人孟浩然有诗云:"看取莲花净,方知不染心。"菊花富贵,宛如悲秋中的希望。秋天赏菊也是令人心旷神怡的乐事,诗人多赏之。晋代的陶渊明有诗云:"秋菊有佳色,裛露掇其英。"宋代的韩琦赞美菊花,"谁言秋色不如春,及到重阳景自新,随分笙歌性乐处,菊花萸子更宜人"。梅花斗寒傲雪,往往成为古人吟诗咏曲的对象。所谓"宝剑锋从磨砺出,梅花香自苦寒来"。宋代诗人林逋以一首《山园小梅》赞颂梅花的风骨,"众芳摇落独暄妍,占尽风情向小园。疏影横斜水清浅,暗香浮动月黄昏。霜禽欲下先偷眼,粉蝶如知合断魂。幸有微吟可相狎,不须檀板共金樽"。海棠姿色娇美,婀娜可爱。传说古时有位女子怀人不至,终日悲泣,泪水浸润了土地,竟长出了美丽的秋海棠。所以海棠又称"断肠花",清人黄景仁有诗云:"绕篱红遍雁来红,翘立鸡冠也自雄。只有断肠花一种,墙根愁雨复愁风。"海棠成了悲愁女子的象征,令人怜惜。不过,苏轼的《海棠》诗却是另一风味:"东风袅袅泛崇光,香雾空蒙月转廊。只恐夜深花睡去,故烧高烛照红妆。"海棠花成了令人眷念的女子。

再次,要做赏花的主人。花因人而有其趣,有其乐,快乐是赏花人永远的主题。可以选自己所爱的花加以种植,品味该花独特的魅力。如石成金就认为自己最爱月季,并将月季称为"寿花"。他说:"予所最爱者,花中之月季,开则难谢,谢而复开,⋯⋯四时不绝,予更其名曰寿花。"种植花卉是为了悦己,而非累己,如果为花所役,成了花的奴隶,则丧失了种花的意义。石成金说:"栽植之后,听其自然,不必修饰,不可折瓶,始得观花之乐。倘或劳我心力,费我资财,则是我为花役,闲雅之人,何必自寻繁剧哉！"

最后，将赏花与赏月、听鸟相结合。皓月当空，花香宜人，岂不是良辰美景？此时可对月吟诗，李白有《把酒问月》诗曰："今人不见古时月，今月曾经照古人；古人今人若流水，共看明月皆如此。"又有《苏台览古》诗云："旧苑荒台杨柳新，菱歌清唱不胜春；只今惟有西江月，曾照吴王宫里人。"还有《月下独酌》："花间一壶酒，独酌无相亲。举杯邀明月，对影成三人。月既不解饮，影徒随我身。暂伴月将影，行乐须及春。我歌月徘徊，我舞影零乱。醒时同交欢，醉后各分散。永结无情游，相期邈云汉。"苏轼也有一词："明月几时有？把酒问青天。不知天上宫阙，今夕是何年。我欲乘风归去，又恐琼楼玉宇，高处不胜寒。起舞弄清影，何似在人间！转朱阁，低绮户，照无眠，不应有恨，何事长向别时圆？人有悲欢离合，月有阴晴圆缺，此事古难全。但愿人长久，千里共婵娟。"善于养生的人会玩赏明月，追思无穷。石成金说自己每月初七、八以后，至十七、八，有月色之时，即静坐清玩，或独对浩歌，此时心骨俱清，恍如濯魄冰壶，置身于寒清虚内。明月是大自然赐给我们的养生瑰宝，取之无禁，用之不竭，不花一钱，不费一力，而令身心俱爽，不去对月当歌，不去感悟古今，自然可惜。

赏花也可与听鸟结合。清人曹庭栋在《老老恒言》中提倡在自家院中养鸟、养金鱼，则可听鸟语，观鱼乐。清晨的鸟语则令人神思清爽，石成金说："树木中间鸟声之趣，全在清晨。斯时昏睡初醒，神思清爽，倚枕静听，百般音韵，恍如置身于山颠数杪之间，清享之乐，高出世外几层。"

3.瓶花艺术

将花卉插入瓶中，则成了瓶花艺术。插花的方式要根据置放的位置和瓶之大小、形状。置堂中者大瓶,放在桌上者小瓶。高濂说堂中插花当用大瓶,高三四尺;书斋插花瓶宜短小。瓶之大小、形状不同则插法相异。小瓶则"折宜瘦巧,不宜繁杂,宜一种,多则二种,须分高下合插,俨若一枝天生二色,方美"。"若瓶高瘦,却宜一高一低双枝,或屈曲邪袅,较瓶身少短数寸,似佳","若小瓶插花,令花出瓶,须较瓶短少二寸,如八寸长瓶,花只六七寸方妙。若矮瓶者,花高于瓶二三寸,亦可插花有态,可供清赏"。

不同的花也有不同的插法。按高濂所论,牡丹花,"贮滚汤于小瓶中,插花一二枝,紧紧塞口,则花叶俱荣,三四可玩"。栀子花,则"将折枝根捶碎,擦盐,入水插之,则花不黄"。海棠花,"以薄荷包枝根水养,多有数日不谢"。所有插花"最忌花瘦于瓶,又忌繁杂"。

瓶是花之舍,古人对瓶亦有讲究。《瓶史》说:"养花瓶亦须精良,譬如玉环、飞燕,不可置之茅茨,又如嵇、阮、贺、李,不可请之酒食店中。尝见江南人家所藏旧瓶,青翠入骨,砂斑垤起,可谓花之金屋,其次官、哥、象、定等窑,细媚滋润,皆花神之精舍也。"除了精致,外形也有讲究,高濂说:瓶"忌有环,忌放成对,忌用小口瓮肚瘦足药坛,忌用葫芦瓶"。当然,虽然对瓶多有讲究,但毕竟花重于瓶,古人亦认为插于稳妥之器即可。

水也要注意。瓶水最好用河水、雨水,不要用井水,且天天换水。《瓶花谱》说:"插花之水类有小毒,须旦旦换之。"《遵生八笺》则忌用井水贮瓶,味咸,花多不茂,最好用河水和雨水;忌用插花之水,其水有毒,且梅花、秋海棠之毒尤甚。

明春游图

五、四时出游　舒畅心志

出游是有益于身心的综合性运动,既可以爬山涉水,锻炼身
体,又可以览古涉今,增长见识;既可以登高远望,改善视力,又
可以观光赏景,心旷神怡。惟其出游可以放下世间的一切烦恼与

忧愁,完全融入大自然中,享受大自然的宽容。孔子就赞同出游这种怡其身心的活动,"莫春者,春服既成,冠者五六人,童子七八人,浴乎沂,咏而归"。出游何止春天。其实四时不同,景物迥异。春天生机勃勃,夏天万物繁茂,秋天果实累累,冬天冰清玉洁。四时美景等着人们去玩赏之,感悟之,历代养生家皆劝导人们接近大自然,欣赏一岁之韶华。明代的高濂说:"四时游冶,一岁韶华,毋令过眼成空,当自偷闲寻乐。"春则郊外踏青,"听鸟鸣于茂林,看山弄水";夏则"坐快楸绿阴,舟泛觯芰荷清馥,宾主两忘,形骸无我";秋则"凭高舒啸,临水赋诗,酒泛黄花,馔供紫蟹";冬则"杖藜曝背,观禾刈于东畴;策蹇冲寒,探梅开于南陌"。

我国古代文人墨客大都喜爱游山玩水,以融入自然为乐。陆游一向热爱大自然,他以老退居山阴后,借出游散去忧愁,强身健体。"老翁七十亦何求,尚赖山行散百忧","倚杖听啼鸟,临池看戏鱼。怡然又终日,底事解愁予。"又说:"镜里萧萧两鬓衰,闲人正与老相宜","老怀不惯著闲愁,信脚时为野外游"。即使刮风下雨,天寒地冻,也挡不住他出游的兴致,"箬帽蓑衣自道宜,不论晴雨著无时。半醒半醉人争看,是圣是凡谁得知","孤舟清晓下溪滩,为访梅花不怕寒。忽有一枝横竹外,醉中推起短篷看"。清代文学家袁枚行迹遍及大江南北,名山大川,并留下"游黄山记"、"游庐山记"等名篇佳作,他认为出游"乃人生乐事,舒心悦目,身心兼炼,益寿延年"。

1.预备游具

出游当准备好所需物品,如衣帽、鞋、凳、食物等。高濂在《遵生八笺》介绍了各种游山玩水的器具,如竹冠,可作防身用具;披云巾,可避风寒;坐毡,可展地共坐;衣匣,以带棉夹便服;酒尊,以助逸兴。《老老恒言》说:出游时,"茶具果饵,必周备,以为不时之需。"春秋出游,还要带好夹衣,"春秋寒暖不时,即近地偶出,棉夹衣必携以随身。"防止天气突然变冷。若是要游山,则备山鞋,《老老恒言》要求带两双鞋,一双供上山用,一双供下山用,"每制必两,上山则底前薄后厚,下山则底前厚后薄。"还建议带上折叠凳,当脚力不足,或观山时,可坐之。严冬出游,还要备帽。《老老恒言》介绍了名为"将军套"的帽子,"皮制边,边开四口,分四块,前边垂下齐眉,后边垂下遮颈,旁边垂下遮耳及颊。"亦可带帐篷,《开元天宝遗事》载:"长安贵家子弟,至春游时游宴。供帐于园圃中。随行载以油幕,或遇阴雨以幕覆之,尽欢而归。"

2.注意调摄

出游在外,尤其注意保养身体。清人石成金提醒人们注意如下事项:

其一,适应水土。人在出行前吃些豆腐青菜,则可服水土。"凡出外旅邸,到他乡别处,先买豆腐青菜吃过,则无不服水土泄泻之病。"

其二,不可空腹出行。空腹出行易感风邪。"凡出外,清晨须吃饱饭食,不可空腹行路,免致感冒风邪。若是舟旅,饮食不便,可带六味地黄丸,不论春夏秋冬,滚水服下三四钱,治事最妙。"

其三,注意饮水。夏天出行在外,不免饥渴,渴不可随便饮用冷茶水,或山涧之水。石成金指出涧水有毒,饮之会伤害身体,"夏月山行,遇有日晒泉涧水,有毒害人,不可饮。"又说:"五六月泽涧中水,多有鱼鳖精遗内,饮之成瘕病。"

其四，大寒归来不可骤热。在冰天雪地里游玩后回家或住店，应以温火烘热手脚，再用热水洗之，不可归即以滚水泡脚，不可即饮热汤。石成金说大冷天在外冻得两足麻木而回家或入店，则"先用温火烘热，以手揉擦，令血脉回阳，再用热汤洗之。如不先烘，即用滚汤泡洗，麻木之足，不知滚热，冻血滞界，损筋伤络，而成废疾，终身大患。"又说："凡冒寒归来，不可就饮热汤，须稍停一刻，则无患。"

秋千图

3.游中娱乐

出游一般安排各种活动，可以钓鱼、放风筝、荡秋千。荡秋千是我国古代北方民族的一项娱乐活动。《古今艺术图》说："秋千，北方山戎之戏，以习轻趫者。"相传秋千由齐桓公伐山戎时传入中原，汉代被引入宫苑，六朝以后盛

唐代刘禹锡《同乐天和微之春深》一诗中，有"秋千争次第，牵拽彩绳斜"的描写。五代仁裕《开元天宝遗事·半仙之戏》卷下说："天宝宫中，至寒食节，竞竖秋千，令宫嫔辈嬉笑，以为宴乐。帝呼之为半仙之戏。"

汉垂钓画像石

行全国。杜甫有诗云:"十年蹴鞠将雏远,万里秋千习俗同。"在春暖花开、秋高气爽的日子里,古代妇女结伴出游,带上木板和绳子,系在树上,就可以荡秋千以解闺中之闷。我们从古代诗赋中可以看出荡秋千给人们带来的欢乐和情趣。宋代诗人李清照就有一首《点绛唇》把怀春少女荡完秋千见有人来的天真与含羞描绘得淋漓尽致,"蹴罢秋千,起来慵整纤纤手。露浓花瘦,薄汗轻衣透。 见有人来,袜划金钗溜。和羞走。倚门回首,却把青梅嗅。"元代泰不花一首《应制题秋千》体现了妇女的美与香,"芙蓉宫额半涂黄,双送秋千过画墙。帘底燕惊花雨乱,树头蜂绕袜尘香。"的确,荡秋千是件令人兴奋的游戏,在空中飞舞,忽上忽下,可以将心中一切郁闷抛开,尽情享受空中的刺激。《摄生消息论》说:"春日融和,当眺园林亭阁虚敞之处,用摅滞怀,以畅生气,不可兀坐,以生他郁。"《酉阳杂俎》说:"寒食有内伤之虞,故令人作秋千蹴鞠之戏,以动荡之。"

放风筝也是我国传统的习俗,已有二千多年的历史。五代诗人高骈道:"夜静弦声响碧空,宫商信任往来风。依稀似曲才堪听,又被移将别调中。"宋代寇准有诗云:"碧落秋方静,腾空力尚微。清风如可托,终共白云飞。"放风筝是儿童喜欢的游乐项

春風早棒舉高掷
子雲飛 山春畫于于珊補也

目,古人认为儿童放风筝可以明目,泄内热。宋代李石的《续博物志》曰:"引丝而上,令小儿张口仰视,可以泄内热。"清人富察敦崇的《燕京岁时记》说:"儿童放之空中,最能明目。"

钓鱼既可健身,又可怡养心情,坚固志趣。姜太公钓鱼钓到八十岁,却能出为丞相,到九十七岁还身体健康,精力充沛。这证明钓鱼是一项修身养性的好方法。钓鱼之乐在于乐志。临江湖之边,微波荡漾,环境宁静,令人心旷神怡;眼望浮标,凝神静气,恰如世外之人。所谓"一勾掣动沧浪月,钓出千秋万古心"。

4.极尽游兴

山水为人人所乐,游山玩水,就要极尽兴致,全身心投入山川之美。汉代张衡大有极其兴,夕死可矣的心态,"仲春令月,时和气清,原隰郁茂,百草滋荣。王睢鼓翼,仓庚哀鸣,交颈颉颃,关关嘤嘤。于焉逍遥,聊以娱情。于时曜灵俄景,继以望舒,极盘游之至乐,虽日夕以亡劬。"苏东坡说:"江山风月,本无常主,闲者便是主人。"有闲情,就有自我,任己之所兴所情。

竹林七贤像

　　极游兴就是要极尽山川之美之奇。晋代的陶弘景说："山川之美，自古共谈。高峰入云，清流见底，两岸石壁，五色交辉，青林翠竹，四时备美。晓雾将歇，猿鸟乱鸣，夕日欲颓，沉鳞竞跃。实为欲界之仙都自康乐以来，未有语其奇者。"

　　山之奇在于高、险、怪，且朝暮、四时不同。高上可问青天，下则一览无余。李白登华山落雁峰，说："此山最高，呼吸之气，想通帝座，恨不携谢朓惊人诗来，搔首问青天耳。"谢朓登三山，望京邑则有诗："白日丽飞甍，参差皆可见。余霞散成绮。澄江静如练。喧鸟履春洲，杂英满芳甸。"杜甫登泰山则有诗云："会当凌绝顶，一览众山小。"

　　险则人迹罕至，也为古人所爱，"登危履险，必尽幽遐"。如徐霞客登武夷山，"石旁峰突起，作仰企状，鹤模石在峰壁巉间。霜翎朱顶，裂纹如绘。穷路穷，有梯悬绝壁间，蹑而上，摇要欲堕。"上岩石又无路，寻觅中见一残阶，"大呼得路"，真是"山重水复疑无路，柳暗花明又一村"。山险让人心跳，又让惊喜，刹那间却有万千感受。

雲窪飛泉

星洋

沈景

怪有怪石怪树怪花卉。徐霞客说黄山"有石丛立,下分上并,即牌楼石也。"唐代韩愈有首《山石》诗:"天明独去无道路,出入高下穷烟霏。山红涧碧纷烂漫,时见松枥皆十围。当流赤足踏涧石,水声激激风吹衣。人生如此自可乐,岂必局束为人靰。"宋代梅尧臣有"好峰随处改,幽径独行迷"的诗句。

山色朝暮、四时不同,欧阳修描写滁州之山,"日出而林霏,云归而岩穴暝,晦明变化者,山间之朝暮也。野芳发而幽香,佳木秀而繁阴,风霜高洁,水清而石出者,山间之四时也。朝而往,暮而归,四时之景不同,而乐亦无穷也。"欧阳修官场失意,却可借山色遣愁。其实山色之美何止消愁,还令人舞之蹈之。徐霞客游黄山,"盖是峰居黄山之中,独出诸峰上,四面岩壁环耸;遇朝阳雾色,鲜映层发,令人狂叫欲舞。"

水可玩赏,可钓鱼,可荡舟。自古以来多少文人雅士歌颂湖泊、江河之美。苏轼把西湖比作西子,"水光潋滟晴方好,山色空濛雨亦奇。欲把西湖比西子,淡妆浓抹总相宜。"披蓑顶笠,执竿烟水,则有垂钓之乐,也可驾一叶扁舟,往来烟波中。柳宗元有诗:"千山鸟飞绝,万径人踪灭。孤舟蓑笠翁,独钓寒江雪。"范仲淹有诗:"江上往来人,但爱鲈鱼美。君看一叶舟,出没风波里。"苏轼泛舟赤壁,大有超脱之感,"白露横江,水光接天。纵一苇之所如,凌万顷之茫然。浩浩乎如凭虚御风,而不知所止;飘飘乎如遗世独立,羽化而登仙。"《遵生八笺》说:"河内置一小舟,系于柳阴处。时乎闲暇,执竿把钓,放乎着流,可谓乐志于水。或于雪霁月明,桃红柳媚之时,放舟当溜,吹箫笛以动天籁,使孤鹤乘风唳空,或扣舷而歌,饱餐风月,回舟返棹,归卧松窗,逍遥一世之情,何其乐也!"

游山玩水少不了酒,古人以为,山水之乐,酒为之助。唐代的柳宗元说："上高山,入深林,穷回溪,幽泉怪石,无远不到。到则披草而坐,倾壶而醉。醉则更相枕以卧,意有所极,梦亦同趣。"酒能将人的意兴化为梦境。宋代的欧阳修称："醉翁之意不在酒,在乎山水之间也。山水之乐,得之心而寓于酒也。"饮酒是山水之乐的表达方式。

汉龙舟竞渡铜鼓